LA VALEUR
DE LA VIE

K.-H. SCHEER
et
CLARK DARLTON

LA VALEUR
DE LA VIE

COLLECTION « ANTICIPATION »

ÉDITIONS FLEUVE NOIR
6, rue Garancière - PARIS VIᵉ

PREMIERE PARTIE

PREMIÈRE PARTIE

CHAPITRE PREMIER

Vouner occupait la cabine la plus proche des salles de l'équipage. Il devait donc passer devant les quatorze autres cabines de passagers à chaque fois qu'il voulait se rendre dans le carré où se trouvait la bibliothèque, le bar et les salles de bains. En tant que passager, il lui était interdit de se rendre dans la partie du navire réservée à l'équipage.

Dans la cabine numéro sept se trouvait M. Buchanan. A cause de lui, Vouner hésitait à se rendre dans le carré. Buchanan était un fou qu'il fallait si possible éviter. Il n'était à bord de l'*Olira* que pour une seule raison ; il était à la poursuite d'un fantôme : la vie éternelle.

Buchanan était âgé, avare et passablement aisé. Sur Terre il avait vraisemblablement tracassé tous ceux qui n'étaient pas de son avis — et il était difficile d'être du même avis que lui.

Buchanan avait une idée fixe : il pensait pouvoir découvrir un activateur cellulaire. Il avait une conception vraiment enfantine de l'astronautique. Il s'imaginait qu'en étant dans l'espace, ses chances de trouver un activateur augmenteraient considérablement.

A chaque fois que Vouner passait devant la cabine de Buchanan, le vieil homme ouvrait la porte et l'appelait.

Hendrik Vouner sourit quand il sortit de la petite pièce qu'on lui avait attribuée et regarda dans la coursive. Le revêtement mural de l'*Olira* n'avait rien du luxe des astronefs purement destinés au transport de passagers. L'*Olira* était un vaisseau mixte, fret et passagers. Il transportait des colons et des émigrants.

Vouner referma la porte derrière lui. C'était un homme de 32 ans, grand et sec. Ses gestes le faisaient apparaître calme et équilibré. Comparé au reste du corps, son visage semblait presque massif mais les yeux clairs et intelligents lui donnaient de la vie.

Vouner atteignit la cabine de Buchanan. Comme d'habitude, la porte était ouverte. Buchanan, assis sur le lit étroit, regardait devant soi d'un air las. Son regard ne s'animait que lorsqu'il parlait des activateurs cellulaires.

Peut-être qu'un autre eût simplement poursuivi son chemin. Pas Vouner pour qui tout homme avait droit à être traité avec politesse.

Vouner le salua. Son mouvement de tête parut être un signal pour Buchanan.

— Où allez-vous, Hendrik ? demanda-t-il.

Vouner sourit avec douceur.

— Prendre un bain.

Buchanan se leva.

— La douche pneumatique de massothérapie n'est pas encore réparée, annonça-t-il.

— Ça ne fait rien. Un simple bain de vapeur me suffit.

Une expression craintive apparut sur le visage de Buchanan. On voyait qu'il réfléchissait désespérément à la manière de retenir Vouner.

— Nous devrions nous plaindre au commandant, dit-il. Depuis notre départ, la douche n'a pas fonctionné une seule fois.

— L'équipage a suffisamment de travail. N'oublions pas que ceci n'est pas un paquebot de luxe.

Buchanan serra les lèvres.

— Entrez donc un moment. J'aimerais avoir un entretien avec vous, Hendrik.

De mauvaise grâce, Hendrik entra. Buchanan lui offrit un siège. Mais à l'étonnement de Vouner, Buchanan ne se mit pas aussitôt à parler de la quête des activateurs cellulaires.

— Que faites-vous en fait à bord de ce navire, Hendrik ? s'enquit Buchanan en feignant manifestement l'intérêt.

— Je suis un émigrant.

Involontairement, son visage s'était fermé sur ces paroles. Il espérait que le vieil homme ne continuerait pas à poser des questions. Ce qui s'était passé sur la Terre était bien loin. Vouner avait décidé d'effacer ce chapitre de sa mémoire.

Hendrik Vouner était un spécialiste de la métallurgie à haute énergie. Il avait collaboré à la mise au point de plusieurs alliages qui avaient été commercialisés par le S.S.C. Mais son travail ne lui avait rapporté aucun succès personnel ou financier car il ne s'y entendait pas à faire apparaître ses travaux sous leur vrai jour. C'est ainsi que ses collaborateurs avaient revendiqué pour eux-mêmes les lauriers qui revenaient en fait à Vouner.

Vouner savait qu'il n'était pas assez dur pour vaincre l'iniquité. Sans amertume, il s'était décidé à chercher une autre sphère d'activité. Quand il avait appris que sur Sphinx, la planète principale des Akonides, on recherchait des spécialistes en métallurgie à haute énergie, il s'était aussitôt manifesté.

Un jour quelconque du mois d'avril 2326, l'*Olira* atterrirait sur Sphinx pour débarquer Vouner dans sa nouvelle patrie.

Vouner ne mettait pas de grands espoirs dans son nouveau secteur d'activité. Il savait qu'en dehors du travail pratique, des tâches diplomatiques l'attendaient aussi car il travaillerait certainement avec des Akonides, ce qui s'avérerait difficile. Vouner brûlait toutefois de commencer sa nouvelle activité.

— Emigrant ? (La voix de Buchanan pénétra dans ses pensées. Le vieil homme souriait d'un air sardonique.) Vous avez donc été malchanceux, Hendrik ?

— Non !

Buchanan ne parut pas remarquer le refus dans la voix de Vouner.

— Oui, la Terre est devenue une prison de verre,

Hendrik ! cria-t-il d'une voix aiguë. On essaie de nous y enfermer jusqu'à ce que nous mourions. Nous ne devons pas prendre part aux merveilles de l'Univers. Pensez seulement aux activateurs cellulaires dispersés un peu partout. (Buchanan secoua son crâne chauve.) Comment un petit homme peut-il entrer en possession d'un tel appareil ? Il n'a guère de chance. Les pontifes nous soufflent tout à la barbe.

Vouner répliqua calmement :

— Je considère que les vingt-cinq activateurs appartiennent à Rhodan et à ses hommes.

Une transformation évidente s'opéra sur le visage de Buchanan. Il devint tout rouge, ses yeux se rétrécirent.

— J'en ai assez de jouer au sujet ! s'écria-t-il. (Il fit un pas vers Vouner et le regarda d'un air impérieux.) Hendrik, ce n'est pas pour rien que je vous ai sans cesse parlé de mes plans. Je vous considère comme l'homme qu'il me faut. Vous êtes jeune, réfléchi et intelligent.

Buchanan voulut poursuivre son éloge mais Vouner l'interrompit d'un geste.

— Renoncez donc, monsieur Buchanan. Vous savez que vous n'aurez aucune occasion de participer à la chasse aux activateurs. Pour cela il vous faudrait votre propre navire.

Les yeux de Buchanan brillaient comme s'il avait la fièvre.

— Que diriez-vous si j'avais un navire, Hendrik ?

Vouner haussa les épaules avec regret. Les fantasmes de Buchanan ne faisaient qu'empirer.

— Eh bien ? insista Buchanan.

Vouner ne put se défendre d'un sentiment d'incertitude.

— Je ne sais pas, dit-il prudemment.

D'un geste triomphant, Buchanan montra la coursive.

— Voici notre navire.

Ahuri, Vouner regarda le vieil homme. N'était-ce là qu'une nouvelle idée folle ou était-ce du plus haut sérieux ?

— L'*Olira* ?

— L'*Olira*! Je vais m'en emparer. Sous mon commandement, l'équipage se lancera dans la quête aux activateurs.

Les idées loufoques du vieux devenaient dangereuses. Vouner se proposa de faire quelque chose avant que Buchanan n'essaie de traduire en actes ses idées absurdes.

— Vous êtes un homme important dans mes plans, Hendrik. Il nous faut seulement mettre le commandant hors de combat, tout le reste n'est qu'une question de psychologie. (Il s'éclaircit la voix et poursuivit :) Dès que j'aurai écarté le commandant, je promettrai à l'équipage que nous allons nous mettre en quête des activateurs. Tout homme veut vivre éternellement, Hendrik. Cette perspective fera oublier aux hommes discipline et obéissance. Ils nous obéiront de leur plein gré, chacun d'eux espérant que nous trouverons l'un ou l'autre des activateurs.

— Je ne marche pas, monsieur Buchanan. Ce que vous projetez c'est de la piraterie spatiale.

Buchanan saisit Vouner par le revers de sa veste.

— Réfléchissez bien, Hendrik, siffla-t-il.

— Lâchez-moi !

Vif comme l'éclair, Buchanan le lâcha et se précipita vers son armoire. Avant que Vouner n'ait pu faire quelque chose, le vieux en avait ouvert la porte et avait sorti une arme démodée. Menaçant, il la pointa sur l'émigrant.

— Vous croyez que je suis un vieux fou qui ne sait ce qu'il fait, n'est-ce pas ?

La haine perça soudain dans la voix de Buchanan. L'arme vacilla un peu mais resta fixée sur la poitrine de Vouner.

— Monsieur Buchanan, vous ne devriez pas faire cela, dit Vouner d'une voix insistante.

Le vieil homme fit un signe avec l'arme.

— Fermez la porte, Hendrik !

En hésitant, Vouner obéit. Dans sa démence, Buchanan tirerait effectivement sur lui s'il se montrait imprudent.

— Asseyez-vous sur le lit et ne bougez pas. J'ai déjà réfléchi à la manière de faire disparaître un cadavre à bord de l'*Olira*.

Vouner s'assit sur le bord du lit.

— Il n'existe que deux possibilités pour vous, Hendrik. Ou bien vous participez à mes plans, ou je vous abats.

Vouner comprit soudain que Buchanan était sérieux. Dans son aveuglement, ce vieux fou ne reculerait devant rien. Vouner pensait moins au danger immédiat qui le menaçait qu'à prévenir le commandant.

Buchanan l'observait sournoisement.

— Si je me montre d'accord maintenant, comment saurez-vous que je ne mens pas ? Après tout, il est possible que je n'accepte vos plans que pour sortir d'ici.

— Un homme dans ma situation ne doit courir aucun risque.

Buchanan mit la main derrière soi, dans l'armoire, et en sortit une boîte. Il la jeta sur le lit à côté de Vouner.

— Il y a là trois comprimés. Vous allez maintenant les avaler, Hendrik.

Vouner ne bougea pas. Il sentait qu'en dépit de sa folie, Buchanan était dangereux.

— Ces comprimés contiennent une substance toxique. Ne vous inquiétez pas, Hendrik, le poison n'agit que lentement. Pendant les trois premiers jours vous ne sentirez absolument rien. Ensuite, quand nous aurons mis notre plan à exécution, je vous donnerai l'antidote.

Vouner regarda la boîte à côté de lui.

— Choisissez, Hendrik ! exigea Buchanan, inflexible. Soit les pilules, soit...

Il leva son arme d'une façon significative.

En Vouner la volonté de résister crût. Peut-être que le vieux bluffait et que les comprimés étaient totalement inoffensifs. Mais Vouner n'avait aucune envie de vérifier sur lui-même si tel était le cas. En outre, il était possible que Buchanan n'ait aucun antidote et veuille ainsi se débarrasser de son assistant.

Avec détermination Vouner se leva.

— Non, dit-il. Cherchez quelqu'un d'autre.

Pendant un moment il crut que Buchanan, aveuglé par la rage, allait se jeter sur lui mais ensuite le vieux fit un effort sur lui-même et épaula son arme à canon court.

— Très bien, Hendrik. Vous l'aurez voulu.

A ce moment-là on frappa à la porte de la cabine. Buchanan se retourna brusquement et poussa un juron. D'un seul bond, Vouner sauta sur le vieil homme. Le choc les fit tous deux tomber par terre.

— Que se passe-t-il, monsieur Buchanan ? cria une voix de femme dans le couloir.

C'était Mme Grey qui logeait dans la cabine n° 3.

Buchanan donna des coups de pied à Vouner et tenta de le mordre. Vouner le frappa du plat de la main. Le fou s'écroula. L'arme échappa à sa main soudain sans énergie.

— Monsieur Buchanan ! cria Mme Grey d'une voix aiguë.

Vouner ramassa l'arme et la cacha sous sa veste. Puis il se leva. Buchanan gémissait doucement. Vouner se dirigea vers la porte et l'ouvrit.

— Vous ! laissa échapper Mme Grey, surprise. Son regard dépassa Vouner et vit Buchanan étendu, immobile, sur le sol.

— Que..., murmura-t-elle, ... qu'est-ce que ça signifie, monsieur Vouner ?

— Il a eu une crise cardiaque, dit Vouner calmement. Je lui ai donné un de mes comprimés.

Il sourit d'un air d'excuse, retourna dans la pièce et empocha les pilules de Buchanan.

Mme Grey, le visage pâle, l'avait suivi.

— Pourquoi ne l'allongez-vous pas sur le lit ?

— Vous avez raison. Je vais le soulever. Il va certainement reprendre bientôt ses esprits.

Il saisit Buchanan sous les bras et le tira vers le lit.

— Il voulait me parler des activateurs cellulaires, c'est pour ça que je suis ici, déclara Mme Grey. M. Buchanan sait une quantité exceptionnelle de choses à ce sujet. Je trouve tout cela fascinant !

Dans ses yeux âgés vacillait le désir de la jeunesse. Elle aurait vraisemblablement tout donné pour un activateur.

Mme Grey étendit une couverture sur Buchanan. Vouner la regarda faire, en silence. Soudain Buchanan ouvrit les yeux.

— Comment vous sentez-vous ? demanda aussitôt Mme Grey.

Buchanan ne lui prêta aucune attention. La mine sombre, il regarda fixement Vouner.

— Allez-vous maintenant faire votre rapport au commandant ? demanda-t-il d'une voix rauque.

Vouner inclina la tête. Buchanan le regarda avec une haine non dissimulée. Vouner eut pitié de ce vieil homme. Obéissant à une impulsion soudaine, il dit :

— Ecoutez, Buchanan, si vous me promettez de vous tenir tranquille, je garderai le silence.

Buchanan s'appuya sur ses coudes. Les muscles de ses joues saillirent.

— D'accord.

— Je vous surveillerai, l'avertit Vouner. (Il regarda Mme Grey qui avait écouté sans comprendre.) Venez, madame Grey, laissons M. Buchanan se reposer un peu.

— Restez, madame Grey ! dit Buchanan à la hâte.

Vouner haussa les épaules et quitta la cabine. Quand ses pas se perdirent dans la coursive, Buchanan se laissa retomber avec un soupir sur le lit.

— M. Vouner a été d'une impolitesse flagrante, fit remarquer Mme Grey avec sévérité.

Un sourire passa sur le visage de Buchanan.

— Cela va changer, murmura-t-il, sournoisement.

CHAPITRE II

Oliver Buchanan regarda la petite pendule au-dessus de son lit. Depuis trois heures, tous étaient couchés à bord de l'*Olira*. Dans quatre heures seulement, la lumière serait allumée dans les cabines de passagers, depuis le poste central. Satisfait, Buchanan éteignit sa torche. Maintenant tous les passagers et la majeure partie de l'équipage dormaient vraisemblablement.

Buchanan estimait que l'*Olira* se trouvait à peu près en bordure du centre de la Galaxie. Le cargo était équipé d'un propulseur linéaire. Son prochain objectif était le Système Bleu des Akonides. Buchanan s'était renseigné. Il savait que Hendrik Vouner quitterait le navire sur la planète Sphinx. La cale contenait d'ailleurs des marchandises pour divers importateurs akonides.

Buchanan estimait qu'il ne devait pas hésiter plus longtemps. A cause du comportement incompréhensible de Vouner, il avait dû modifier quelque peu ses plans. En tout cas il fallait éviter que l'*Olira* n'atteigne le Système Bleu. Car le sens des responsabilités de Vouner le forcerait à prévenir quand même le commandant avant de quitter le navire.

Buchanan alla à la porte et tendit l'oreille. Il n'y avait personne dans la coursive. Il ouvrit la porte et sortit prudemment. La coursive était plongée dans l'obscurité complète. Le vieil homme verrouilla la cabine derrière lui.

Il ne prit pas la direction du carré mais se faufila vers

les quartiers de l'équipage. Il maudit la circonstance qui l'obligeait à passer devant la cabine de Vouner. Il s'approcha du point critique avec méfiance.

Mais la cabine de Vouner était fermée. Buchanan poussa un soupir de soulagement. Soudain il lui vint à l'esprit qu'il pouvait y avoir un dispositif d'alarme entre les quartiers de l'équipage et ceux des passagers, qui informerait aussitôt le poste central de son intrusion. Mais ses inquiétudes étaient absurdes. Si le dispositif existait, il pourrait toujours dire qu'il s'était égaré. On était enclin à passer bien des choses aux personnes âgées.

Buchanan poursuivit sa route. La coursive était séparée en deux parties par une simple barrière. Sans hésiter, Buchanan détacha le crochet de sécurité du mur et ouvrit la barrière. Rien ne se produisit.

Les quartiers de l'équipage étaient eux aussi sans éclairage. Plus loin, devant, la coursive faisait un coude. Une faible lueur venait de là-bas. Buchanan inclina la tête. Là-bas, il trouverait un puits antigrav qui passait directement par le poste de commandement. Pendant le repos général, quatre ou cinq hommes d'équipage seulement exécutaient le travail de routine.

Buchanan ne savait pas très bien comment il procéderait à partir du moment où il pénétrerait dans le poste central, mais il espérait parvenir à saboter quelque chose.

Buchanan comptait s'élancer tout simplement dans le poste de commandement dès qu'on l'aurait remarqué, et dans une rage aveugle, détruire tout ce qui lui tomberait sous la main.

Dans sa folie, Buchanan ne voyait même pas le manque de logique de ses plans. Dans son subconscient il imaginait déjà ce qu'il ferait quand il aurait réussi à s'approprier un activateur cellulaire. Buchanan avait toujours été jaloux des immortels comme Rhodan et Bull. Plus il vieillissait et plus il considérait comme une grande injustice d'être privé de cette longévité. La vieillesse lui pesait comme une torture dont il ne pouvait venir à bout.

Avec les années, il avait accumulé une profonde rancœur. En même temps il avait désespérément recherché les moyens de conserver sa jeunesse. Mais malgré tous les progrès de l'industrie pharmaceutique, il avait dû reconnaître que le vieillissement ne pouvait être enrayé.

Et alors que son amertume atteignait son apogée, la mystérieuse créature spirituelle de Délos avait dispersé vingt-cinq activateurs cellulaires. Buchanan avait décidé de partir pour l'espace pour aller chercher un activateur.

Et maintenant il se trouvait là, vieillard à l'idée fixe, dont la place était à vrai dire entre les mains d'un psychiatre.

Buchanan suivit la courbe de la coursive. L'entrée du puits antigrav baignait les environs d'une lumière claire. En sécurité dans l'ombre projetée par les parois, Buchanan observa les lieux quelques secondes. De sa place il pouvait entendre un léger bourdonnement qui montait du puits. Il provenait vraisemblablement du poste de commandement.

Buchanan sortit de l'obscurité.

C'est alors que par derrière une main se posa sur son épaule. Il sursauta, comme frappé par une décharge électrique.

« Vouner ! » pensa-t-il.

Mais quand il se retourna lentement, son regard tomba sur le visage de Mme Grey. Le contrecoup du choc le fit trembler.

— Madame Grey ! siffla-t-il. Que cherchez-vous ici ? C'est la zone réservée à l'équipage.

— Je pourrais vous retourner la question, monsieur Buchanan, chuchota-t-elle. Que cherchez-vous ici ?

Perdant le contrôle de soi, Buchanan allait se mettre à hurler mais la femme mit son doigt sur ses lèvres.

— Quel que soit votre projet, monsieur Buchanan, il est en rapport avec les activateurs cellulaires, n'est-ce pas ?

— Oui, concéda Buchanan, irrité.

Une expression de convoitise apparut sur le visage de Mme Grey. Elle examina son vis-à-vis d'un regard perçant.

— Vous savez où il y en a ?

— Je le sais, mentit Buchanan avec audace, et je vais me les procurer.

— Peut-être ferai-je un meilleur associé que M. Vouner.

Buchanan la regarda, indécis.

— Peut-être, dit-il d'un ton traînant.

Elle avait écouté à la porte pendant son explication avec Vouner. Intérieurement Buchanan maudit son imprudence.

— Devant Vouner vous n'avez pas avoué que vous saviez où trouver des activateurs.

— Bien sûr que non ! Vouner devait seulement faire le sale boulot. Ensuite, je l'aurais écarté.

Mme Grey ne montra aucune émotion.

— J'ignore si vos renseignements sont exacts mais après tout, il se peut que vous parveniez à obtenir des activateurs. Pourquoi laisserais-je passer cette occasion ?

— Pour cette occasion il nous faut le navire, dit Buchanan. Pensez qu'il ne s'agit pas d'un astronef chargé d'une mission militaire. L'équipage n'est donc pas trié sur le volet comme c'est le cas pour la flotte impériale. Cela nous simplifiera la tâche.

— Comment voulez-vous procéder ?

Buchanan montra le puits antigrav.

— Le puits mène directement dans le poste de commandement. Je vais opérer un sabotage qui rendra nécessaire une réparation et empêchera provisoirement le navire de poursuivre son vol.

— Qu'en attendez-vous ? s'enquit Mme Grey, sceptique.

— Dans la confusion qui en résultera, je pourrai peut-être m'échapper. Je ferai alors courir le bruit que le capitaine porte la responsabilité de l'incident. J'affirmerai qu'il a fomenté tout cela pour s'approprier un activateur cellulaire qui se trouve quelque part par ici.

— Poursuivez.

— En tout cas les soupçons de l'équipage seront éveillés. Posséder un activateur cellulaire est un objectif tentant pour tout être humain. La méfiance sera le germe d'une mutinerie. Naturellement il va falloir travailler l'équipage psychologiquement. D'autres incidents ne sont pas à exclure.

— Que se passera-t-il si l'on vous attrape ?

— J'affirmerai alors avoir agi sur ordre du capitaine qui m'a incité à le faire avec des promesses.

Mme Grey étouffa un rire.

— Espèce de fou sénile, dit-elle avec rudesse. Croyez-vous sérieusement que vous pourrez vous emparer du navire par une méthode aussi primitive ?

— Je dois essayer ! se défendit Buchanan.

— Il faut prendre cette affaire autrement, déclara la femme, décidée. Nous allons avancer ensemble jusqu'au poste central. Puis j'appellerai au secours et les hommes de service sortiront précipitamment pour voir ce qui se passe. Vous profiterez de cet instant pour provoquer des dégâts suffisants pour stopper le navire. Vous devrez faire vite. Je raconterai aux hommes que j'ai entendu une conversation entre le capitaine et un inconnu au cours de laquelle le capitaine invitait son interlocuteur à saboter le navire. La peur m'a fait rester encore quelque temps dans ma cabine avant que je ne me risque à en sortir. J'ai entendu le capitaine promettre un activateur cellulaire à son complice. L'équipage ne devait pas en être informé.

Buchanan réfléchit quelque temps.

— Le capitaine Fredman est paisiblement couché dans son lit.

— Tant mieux ! répliqua Mme Grey.

Buchanan sentit instinctivement que le commandement lui avait échappé. La femme décidait de la manière de procéder. Cela n'était d'ailleurs pas pour déplaire à Buchanan car si quelque chose tournait mal, il pourrait rejeter la responsabilité sur elle. L'état d'ivresse dans lequel la chasse à la vie éternelle avait plongé Buchanan ne lui permettait pas de penser clairement. Certes, il se disait que la prudence s'imposait même vis-à-vis de Mme Grey, mais se considérant comme intellectuellement supérieur, il s'apercevrait aussitôt si elle tentait de le duper.

— Alors en route ! dit-il.

Ils se dirigèrent vers le puits antigrav.

— Tout est calme, constata Mme Grey satisfaite. Entrons !

Buchanan et sa compagne descendirent. Mme Grey atterrit la première. Elle regarda autour d'elle et fit un signe à Buchanan.

— Tout va bien. (Elle montra l'entrée du poste central.) Cachez-vous entre ces deux supports. Je passe de l'autre côté. Quand je crierai, les hommes sortiront précipitamment. Vous devrez alors agir très vite.

— Que dois-je faire si tous les hommes ne quittent pas le poste central ?

Mme Grey sourit d'un air moqueur.

— Vous ne m'avez pas encore entendue crier.

Buchanan la regarda en hésitant, puis se retourna sans un mot et rampa entre les supports. La femme attendit qu'il fût bien caché et se dirigea sans bruit de l'autre côté de la plate-forme du puits. Son manteau flottant lui donnait un air spectral. Les premiers doutes s'éveillèrent dans le subconscient de Buchanan. Peu à peu il prit conscience de la folie de la situation. Il s'appuya contre les supports métalliques et réfléchit.

Mme Grey cria.

Buchanan sursauta. Maintenant il n'y avait plus moyen de battre en retraite. Il était tapi entre les supports et sentait son cœur battre à tout rompre.

Quatre hommes sortirent alors du poste central. Avec un dernier cri, Mme Grey s'effondra. Buchanan ne prit pas le temps d'admirer l'art dramatique de cette femme. Il bondit de sa cachette. Il entendit les astronautes parler à Mme Grey — et déjà il était à l'entrée du poste de commandement.

Un homme était assis dans le fauteuil de pilote. Il tournait le dos à Buchanan. Le visage du vieil homme se tordit en une horrible grimace. C'était justement ça qu'il avait craint.

Ses regards glissèrent sur le poste central. Il ne vit aucun objet avec lequel il aurait pu assommer l'homme. Il lui vint à l'esprit qu'à bord des astronefs on évitait de laisser traîner des objets non attachés.

Buchanan savait qu'il devait agir maintenant s'il voulait encore réussir. Doucement, il se glissa derrière le pilote. Le bourdonnement des installations de contrôle et le grondement léger des propulseurs couvraient le bruit de ses pas.

Buchanan mit toutes ses forces dans le coup qu'il asséna sur la nuque de l'homme qui ne se doutait de rien. Il n'eut pas besoin de frapper une seconde fois. L'homme s'effondra dans son fauteuil. Les regards de Buchanan se portèrent sur les commandes. Un enchevêtrement incompréhensible de dispositifs de commutation, leviers, tableaux et voyants s'étendait devant lui. Avec un grognement sourd, il saisit deux leviers et les bascula. Ensuite il attrapa tous les commutateurs qu'il pouvait atteindre et tira dessus comme un fou en essayant de les arracher de leur ancrage.

Ce n'est que le déclenchement des sirènes d'alarme qui le dégrisa. Ni lui, ni Mme Grey n'avaient pensé à cela. Les dispositifs de sécurité de l'*Olira* tournaient à plein régime. Traqué, Buchanan tourna ses regards vers l'entrée.

Il vit alors Hendrik Vouner entrer en compagnie du capitaine Fredman. Il se figea. Le visage de Fredman était livide. Vouner s'arrêta et dit d'un ton désespéré :

— J'aurais dû le surveiller de plus près.

Fredman ne parut pas l'entendre.

— Nous sommes sortis de la phase de vol linéaire, murmura-t-il comme pour lui-même. Le sabotage a provoqué un retour incontrôlé dans l'univers normal.

Le doigt tordu de Buchanan se pointa sur Fredman en tremblant. Les hommes que Mme Grey avait attirés hors du poste central, se rassemblèrent derrière le capitaine.

— C'est lui qui m'y a poussé ! leur cria Buchanan.

Fredman était un homme petit mais trapu. Son corps se tendit. Buchanan recula. Il s'accrocha au siège de pilote.

— Ce sale rat ! cria Fredman furieux.

— Tout cela est de ma faute, se lamenta Vouner.

Mme Grey entra. Elle semblait être la seule à apprécier cet instant. Ses yeux scintillaient.

— Fredman sait très bien où trouver des activateurs cellulaires, déclara-t-elle. Il a fait cause commune avec ce joli bonhomme. (Elle montra Buchanan.) J'ai aussitôt reconnu le complice de Fredman à sa voix.

— C'est une insolence incroyable ! explosa Fredman. Vous aurez à répondre de cela à la barre d'un tribunal.

Mme Grey éclata de rire.

— Attendez de voir qui de nous deux passera en jugement, capitaine !

— Un instant, intervint Hendrik Vouner. Le capitaine Fredman est injustement accusé. Je sais que c'est Buchanan qui avait cette idée folle. Au départ il voulait me gagner à son plan.

Mme Grey se croisa les bras sur la poitrine.

— Lui aussi semble appartenir à la bande, affirmat-elle en examinant Vouner avec mépris.

Le commandant reprit contenance.

— Ça suffit ! ordonna-t-il. Faites sortir du poste central tous ceux qui n'ont rien à y faire. M. Buchanan et Mme Grey doivent être dès à présent enfermés dans leurs cabines. Ils sont aux arrêts. Nous allons envoyer un appel de détresse pour demander à un navire de la Flotte de venir nous secourir. Nous ne pourrons vraisemblablement pas réparer nous-mêmes les dégâts causés par M. Buchanan.

— J'obéis à vos ordres en protestant ! cria Mme Grey. J'attire l'attention de tous les membres de l'équipage sur le fait qu'ils sont responsables des erreurs actuellement commises.

— Je proteste également, cria Buchanan excité. J'exige qu'une commission d'enquête soit immédiatement formée. Le capitaine profite de son pouvoir pour arrêter des innocents.

Il n'eut pas l'occasion de se plaindre davantage. Il fut saisi sans douceur par deux membres de l'équipage.

C'est alors que l'opérateur radio annonça :

— Nous recevons des signaux, commandant. Ils doivent venir d'un système solaire se trouvant à proximité. (Il se pencha sur ses appareils.) Les impulsions arrivent sur hyperondes et sur ondes normales. (Il fronça les sourcils.) Etrange, murmura-t-il.

Les deux astronautes qui voulaient traîner Buchanan dehors, s'étaient arrêtés à l'entrée.

Irrité, Fredman demanda :

— Que se passe-t-il, Togray ?

Le radio jeta un regard fuyant à son commandant.

— Ces signaux radio, murmura-t-il. Ils sont assez simples.

— Que signifient-ils ?

Les yeux de Togray scintillèrent. On pouvait voir qu'il se raidissait involontairement. Son attitude exprimait soudain le défi.

— Ne connaissez-vous pas ces impulsions, commandant ? demanda-t-il ironiquement.

Puis il prit un stylo et frappa sur l'un des appareils.

— Brève-brève-longue-brève-brève, dit-il d'un ton traînant.

Buchanan s'arracha aux mains de ses gardes.

— Un activateur cellulaire ! cria-t-il.

CHAPITRE III

Un moment de silence complet suivit les paroles de Buchanan. Il semblait presque que chacun dans le poste central avait besoin de quelques secondes pour saisir la nouvelle dans toute sa signification. Et c'est dans ce silence que naquit la méfiance.

Le capitaine Fredman se ressaisit le premier et dit :

— Voici un hasard incroyable. Nous allons naturellement déterminer aussitôt où se trouve l'activateur cellulaire. Il faut le mettre en sûreté afin qu'il parvienne dans les bonnes mains.

Mme Grey passa devant les astronautes et s'arrêta juste devant Fredman.

— C'est vous que vous entendez par là, n'est-ce pas ? demanda-t-elle ironique.

Hendrik Vouner, debout près du commandant, avait été surpris par le brusque renversement de situation. Quand il avait constaté que Buchanan n'était plus dans sa cabine, il s'était aussitôt rendu auprès de Fredman. Le capitaine dormait profondément et Vouner avait dû insister pour qu'il le suive dans le poste central. Vouner ne croyait pas que Fredman jouât un double jeu. Mais tout au fond de lui-même il y avait maintenant un léger doute car la coïncidence entre le sabotage de Buchanan et le signal de relèvement de l'activateur ne pouvait tout de même pas être un pur hasard...

— Je propose que nous convoquions immédiatement une réunion dans le carré, dit Fredman.

Pliatsikas, le second, acquiesça de la tête.

— Oui, il faut éclaircir cette affaire immédiatement, commandant.

Vouner perçut la menace dans la voix de l'officier mais Fredman ne fit pas mine de se sentir concerné.

— J'exige que les passagers participent aussi à cette assemblée, dit Mme Grey. Au moins trois d'entre eux sont mêlés à cette affaire : Vouner, Buchanan et moi.

Fredman allait s'emporter mais Pliatsikas dit vivement :

— Naturellement, madame Grey.

Pendant ce temps, tout l'équipage de l'*Olira* s'était rassemblé. Le pilote qui avait repris connaissance, déconnecta le dispositif d'alerte. Les regards qu'il jeta à Fredman exprimaient un mélange de culpabilité et de méfiance.

— Togray, déterminez l'origine des signaux, ordonna Fredman. Ensuite rejoignez-nous dans le carré.

L'opérateur radio se mit au travail.

Le petit groupe quitta le poste central, passa devant l'équipage silencieux qui formait une allée, et s'approcha du puits antigrav. Comme si cela allait de soi, Mme Grey marchait à côté du commandant. Buchanan suivait, juste derrière, le visage décomposé. Vouner se tenait en retrait, les événements lui donnaient à réfléchir mais il n'était pas encore inquiet. Il était convaincu qu'un homme comme le capitaine Fredman serait bientôt de nouveau maître de la situation.

Dans la coursive supérieure, ils rencontrèrent le reste des passagers qui avaient été réveillés en sursaut par les sirènes d'alarme. Ils assaillirent le capitaine de questions mais Fredman ne répondit pas.

— Suivez-nous, cria Mme Grey, il y a des nouvelles intéressantes.

Permant, un homme âgé, se joignit à Vouner.

— Que s'est-il passé, monsieur Vouner ? demanda-t-il d'une voix rauque.

Vouner avait entendu dire que Permant vendait des graines de fleurs terrestres dans les colonies. Cela n'était certainement pas un commerce lucratif mais Permant semblait être pleinement satisfait.

— Le navire a quitté l'entr'espace pour plonger dans l'univers normal, expliqua Vouner. M. Buchanan s'est livré à un sabotage.

Permant le regarda du coin de l'œil, sans comprendre. Derrière lui, Vouner entendit le chuchotement d'hommes agités. Il ne faudrait vraisemblablement que quelques minutes pour que tous les passagers soient au courant des événements.

— Mais pourquoi a-t-il fait une telle folie ? s'étonna Permant.

— Il croit pouvoir entrer en possession d'un activateur cellulaire.

Une transformation singulière se produisit chez Permant.

Il fit une grimace et essaya de parvenir près de Mme Grey. Vouner secoua la tête. La simple mention d'un activateur semblait rendre ces hommes fous. Cela venait-il du fait qu'ils étaient plus âgés que lui, Vouner ?

Fredman ouvrit la porte du carré, alluma et se dirigea vers un petit podium. Mme Grey, Buchanan, Pliatsikas et trois autres membres de l'équipage s'arrêtèrent juste devant.

Fredman leva le bras et les murmures cessèrent.

— Dans l'intervalle vous avez tous dû apprendre que notre navire avait quitté l'entr'espace, commença le commandant. Par suite d'un sabotage de M. Buchanan, quelques connexions du propulseur linéaire sont tombées en panne. Comme il nous faudrait plusieurs jours pour réparer nous-mêmes, nous allons appeler un bâtiment de secours de la Flotte. Entre-temps il s'est avéré qu'à proximité de l'*Olira* il y a un système solaire où se trouve un activateur cellulaire. Vous connaissez certainement déjà les reproches qui, sous ce rapport, m'ont été adressés.

Un murmure de protestations s'éleva parmi quelques membres de l'équipage. Fredman sourit et poursuivit :

— Il ne sert à rien de discuter si les accusations sont

fondées ou non. La seule chose importante pour le moment, c'est l'activateur. Il doit être mis en sûreté au plus vite et remis à Perry Rhodan.

Fredman fut fort applaudi, de divers côtés, mais Vouner doutait que les applaudissements fussent sincères.

Mme Grey monta promptement sur le podium, à côté de Fredman qui la regarda d'un air sombre.

— Tous les passagers me connaissent, dit-elle. Pendant notre sommeil si soudainement interrompu, j'ai entendu par hasard, une conversation entre notre capitaine et M. Buchanan. Les deux hommes ont décidé du sabotage pour trouver prétexte à un atterrissage forcé. De cette manière ils voulaient s'approprier secrètement l'activateur. (Elle haussa la voix.) Je ne crois pas que le capitaine ait jamais eu l'intention de livrer cet activateur — peut-être y en a-t-il même plusieurs — aux autorités compétentes. C'est pourquoi je réclame la constitution d'une commission qui prendra le commandement de l'*Olira* pour mener régulièrement les recherches. Ce n'est qu'ainsi que nous obtiendrons que l'activateur parvienne effectivement à la bonne adresse.

Permant cria « bravo ! » et plusieurs passagers encouragèrent la femme à poursuivre son explication. Mais Fredman interrompit le flot de paroles de Mme Grey. Il montra Hendrik Vouner.

— Je crois que M. Vouner a quelques déclarations intéressantes à ajouter à cela, dit-il calmement. Veuillez nous raconter comment M. Buchanan voulait vous contraindre à participer au sabotage.

Vouner comprit la tactique du capitaine. Fredman essayait de faire de Vouner le centre de l'attention générale pour gagner du temps. Cela n'était guère du goût de Vouner d'être soudain invité à monter sur le podium.

Finalement Fredman lui tendit la main.

— Mais enfin, venez donc ! cria-t-il d'un ton presque suppliant.

L'insistance avec laquelle Fredman sollicitait son aide

embarrassa Vouner. Il se secoua et vint se placer près de Mme Grey.

Vouner fit un bref rapport des événements dans la cabine de Buchanan. Ses auditeurs buvaient avidement toutes ses paroles. En face de lui, dans la salle, Vouner voyait des yeux brillants et des visages rouges. La fièvre s'était emparée de la plupart des hommes présents — la fièvre provoquée par l'idée de l'immortalité.

— Vous avez entendu M. Vouner, cria Fredman quand Vouner se retira. Manifestement M. Buchanan avait projeté le sabotage depuis longtemps déjà. Mme Grey est sa complice. Par ses cris elle devait faire sortir les hommes du poste central. (Il couvrit de la voix les cris de protestation de Buchanan.) D'une manière ou d'une autre, M. Buchanan a appris où il devait stopper le navire pour avoir une chance de s'emparer de l'activateur.

Buchanan se mit à tempêter et il fallut le conduire hors de la salle. Il cria de grossières injures au capitaine et à Vouner jusqu'au moment où il fut traîné dans la coursive par deux membres de l'équipage.

Le visage anguleux de Fredman resta impassible.

— Maintenant, que celui qui croit toujours qu'il ne peut me faire confiance, quitte cette salle, ordonna-t-il quand on n'entendit plus les vociférations de Buchanan.

Un silence absolu s'établit. Les regards de Vouner passèrent sur les hommes rassemblés mais nul ne bougea. Alors Mme Grey descendit du podium et se dirigea vers la porte. Fredman la suivit des yeux, en silence.

— Enfermez-la dans sa cabine, ordonna-t-il au bout d'un moment.

Vouner était soulagé de voir que le capitaine avait étouffé dans l'œuf la menace de mutinerie. Maintenant, tout se déroulerait comme prévu. On récupérerait l'activateur et on le mettrait sous bonne garde.

Vouner comprit le danger que constituaient ces appareils. La tentation d'acquérir l'immortalité effaçait toute pensée claire. Vouner se demanda pourquoi cette passion ne s'était pas encore éveillée en lui. Sa propre vie lui apparaissait-elle si insignifiante qu'il n'envisageait absolument pas de la prolonger ?

Togray, le radio, entra et interrompit les réflexions de Vouner.

— C'est le système de Vélandre, dit-il morose. Trois planètes. Celle du centre devrait nous intéresser, commandant.

— A combien d'années-lumière sommes-nous encore du système ? demanda Fredman.

— Pas tout à fait deux. Les impulsions viennent incontestablement de cet endroit. On trouvera vraisemblablement l'activateur sur l'une des trois planètes.

Le capitaine descendit du podium. Il posa la main sur l'épaule de Pliatsikas.

— Je crois que nous pouvons encore gagner le système de Vélandre par nos propres moyens, dit-il au second. L'atterrissage ne devrait poser aucun problème. Il est de notre devoir de mettre l'activateur en sûreté avant que d'autres ne reçoivent les signaux de relèvement et ne se mettent également en quête du précieux appareil.

—Bien, commandant, acquiesça Pliatsikas.

— Retournez dans vos cabines, s'il vous plaît, ordonna Fredman aux passagers.

Vouner allait lui aussi se mettre en mouvement mais Fredman le retint par le bras.

— Je vous remercie, dit-il aimablement. Vous m'avez été d'un grand soutien, monsieur Vouner. Peut-être pourriez-vous maintenant garder un œil sur les passagers ? A tout moment il peut arriver que quelqu'un s'intéresse de nouveau à l'activateur. Rendez-moi compte, je vous prie, si vous avez le moindre soupçon.

Vouner aurait aimé dire au capitaine qu'il ne voulait pas faire le mouchard, mais il ne put se résoudre à faire cette déclaration. Fredman parut toutefois remarquer l'hésitation de Vouner.

— Je sais que je puis compter sur vous, insista-t-il.

Vouner inclina la tête de mauvaise grâce. Fredman le congédia par une tape amicale sur l'épaule.

Quand Vouner quitta le carré, il nourrissait une certaine méfiance à l'égard de Fredman. Il s'estimait injuste mais il n'y pouvait rien changer. A la place du commandant il n'aurait vraisemblablement pas agi autrement. Fredman voulait se prémunir contre de nouvelles attaques venant des passagers. Et dans cette situation on ne pouvait dire comment l'équipage réagirait. Il pouvait se former des groupes de conspirateurs qui essaieraient de s'emparer de l'activateur. Vouner pressentait que des temps troublés les attendaient à bord de l'*Olira*.

Quand il se dirigea vers sa cabine, il vit Permant debout dans la coursive.

— Vous avez fait preuve d'initiative et de prudence, le reçut Permant. Sans votre intervention, des événements plus graves auraient pu se produire.

Vouner se défendit par un sourire. Il comprenait bien que Permant voulait discuter avec lui de tout autre chose.

— Il y a un point que je ne comprends pas, chuchota Permant. (Il fit une pause pour éveiller la curiosité de Vouner puis il poursuivit :) Comment se fait-il que le capitaine n'appelle pas immédiatement un navire de la Flotte impériale qui se chargerait de récupérer l'activateur ?

— Il va envoyer un appel de détresse car il faut effectuer des réparations dans le poste central, répondit Vouner irrité. Mais en attendant il peut s'occuper de l'activateur.

— Comment saurons-nous s'il envoie effectivement l'appel ?

— Allez donc le surveiller, lui conseilla Vouner.

Permant ne se laissa pas déconcerter par la remarque ironique.

— En tant que citoyens de l'Empire, nous avons le devoir de nous occuper de cette affaire, déclara-t-il. Si le capitaine a l'intention de s'approprier l'activateur, nous devons intervenir.

Vouner sentit la colère le prendre. Et pourtant Permant ne faisait qu'exprimer ce que Vouner aussi avait déjà supposé en son for intérieur.

— Que ferions-nous donc contre l'équipage ? demanda-t-il.

— Il importe que nous soyons d'accord. Nous ne devons pas former de petits groupes. Notre premier objectif doit être de remettre l'activateur cellulaire...

— ... Dans les bonnes mains, termina Vouner, railleur.

Permant le regarda, ahuri.

— Naturellement, dit-il. Nous sommes donc d'accord.

Vouner ne répondit rien, il passa simplement devant Permant. Maintenant il n'y avait plus aucun doute. La majorité des passagers feignait de n'être intéressée qu'à la bonne utilisation de l'activateur. Mais en réalité, chacun d'eux caressait l'espoir de pouvoir s'emparer de l'appareil pour lui-même.

Il n'y avait aucune raison de supposer que la situation était différente parmi l'équipage. Le capitaine Fredman lui aussi n'était qu'un homme et il prendrait quelques risques pour obtenir l'immortalité.

Dès à présent il ne pouvait avoir confiance en personne à bord et cette idée atterra Vouner. A quoi cela servait-il que Buchanan et Mme Grey fussent enfermés dans leurs cabines ? On ne pouvait garder tout le navire prisonnier.

Hendrik Vouner entra dans sa cabine, agité par de sombres pensées. Il se demandait ce qu'il pouvait faire tout seul. Quand il s'assit sur le bord de son lit, il pensa qu'il était absurde de soupçonner tout le monde. Parmi les passagers et l'équipage, il y avait certainement des hommes aussi loyaux que lui. Il devait l'espérer.

Vouner commençait justement à se déshabiller pour dormir quelques heures quand on frappa à la porte de sa cabine.

— Qui est là ? demanda-t-il.

— Pliatsikas, le second.

Vouner alla ouvrir. L'homme entra aussitôt.

— Le capitaine Fredman m'envoie. Il vient de penser que vous étiez encore en possession de l'arme de M. Buchanan. Il aimerait éviter de nouveaux ennuis. D'autres passagers pourraient se sentir menacés. Il vous prie donc de me remettre l'arme.

Vouner ouvrit son armoire et en sortit l'arme.

— C'est un vieux thermoradiant, dit-il.

Pliatsikas haussa les sourcils.

— Vieux ou pas, l'objet est dangereux.

Vouner réfléchit un instant.

— Je vais remettre le radiant personnellement au commandant, déclara-t-il.

Pliatsikas rougit de colère. La situation était désagréable pour Vouner mais il n'avait pas l'intention de commettre une seconde erreur.

— Qu'attendez-vous de cela ? s'enquit le second.

Vouner mit l'arme dans la ceinture de son pantalon. Il regarda Pliatsikas franchement.

— Je serai alors certain que Fredman a effectivement demandé ce radiant et l'a bien reçu.

Pliatsikas fit brusquement demi-tour et quitta la cabine. Il claqua la porte derrière lui. Vouner se douta qu'en cet instant il s'était fait un ennemi et cela l'affligea. Pourquoi l'homme ne pouvait-il le comprendre ? Décidé à mener cette affaire à son terme, il suivit Pliatsikas dans le poste central.

Fredman l'attendait, le visage impénétrable.

— Vous êtes très prudent, monsieur Vouner, dit-il. En général les hommes possèdent toute ma confiance.

Pliatsikas jeta des regards menaçants à Vouner.

Vouner sortit le radiant et le tendit au capitaine.

— Ce sont vos hommes, dit-il calmement.

Fredman prit l'arme et la posa près de lui, sur la table de navigation. A l'arrière-plan, plusieurs astronautes travaillaient à réparer les dégâts causés par Buchanan.

— Maintenant partez ! dit Pliatsikas grossièrement.

L'atmosphère dans le poste central était chargée d'une tension perceptible. Les visages maussades des hommes ne plaisaient pas à Vouner. Lentement, il fit demi-tour et sortit.

Quand par le puits antigrav il atteignit la longue coursive qui conduisait aux cabines, le bruit de ses pas fut renvoyé par les parois. Involontairement il les adapta à un certain rythme.

Brève-brève-longue-brève-brève !

Brève-brève-longue-brève-brève !

Un signal de relèvement extrêmement simple.

Sur hyperondes et ondes ultra-courtes !

Il n'y avait pas un homme qui ne connût la signification de ces signaux radio. Ils promettaient l'immortalité.

Vouner atteignit sa cabine. Quel pouvait être l'état d'esprit d'un immortel ? Etait-il plus heureux, plus satisfait ou plus riche qu'un homme normal ? Comment venait-il à bout de problèmes de la vie ?

Vouner secoua violemment la tête. Il se préoccupait déjà beaucoup trop des activateurs. Il ne voulait pas se laisser gagner par la fièvre générale.

Quand l'*Olira* arriverait dans le système de Vélandre, il vaudrait mieux qu'il ait gardé la tête froide. D'une certaine manière, Vouner était fier de ne pas avoir été contaminé. Il gardait une distance mentale par rapport à toute cette affaire.

Finalement il n'y avait que vingt-cinq activateurs pour plus de dix milliards de Terriens.

Pourquoi lui, Vouner, aurait-il cette idée absurde que lui précisément pourrait obtenir un tel appareil ?

CHAPITRE IV

Il fallut sept heures au capitaine Fredman et à ses hommes pour réparer les dégâts causés par Buchanan, de manière à ce que l'*Olira* puisse au moins accélérer de nouveau. Fredman expliqua aux passagers que le propulseur linéaire était certes de noùveau en état de marche mais que lui ne pouvait guère conduire le navire plus loin que le système de Vélandre. Là-bas d'autres réparations seraient nécessaires. Le commandant ne dit pas s'il avait réclamé un navire de secours.

Vouner avait le sentiment infaillible que nul à bord du vaisseau n'en souhaitait la venue car il se chargerait alors aussi de récupérer l'activateur.

L'*Olira* pénétra dans l'entr'espace et se dirigea vers le système de Vélandre. Les passagers étaient calmes — trop calmes de l'avis de Vouner. Le carré n'était plus guère fréquenté, comme si chacun craignait de devoir échanger quelques mots avec un autre. Buchanan et Mme Grey étaient toujours consignés dans leurs cabines et Fredman ne leur permettait que de temps en temps l'utilisation de la salle de bains.

Les passagers évitaient Vouner. Ils se méfiaient de lui. Vouner avait bien aimé clarifier la situation, bien qu'il n'y pût rien changer. Il se sentait exclu du cercle sans qu'il y eût de sa faute. On lui en voulait certainement d'avoir pris parti pour le capitaine.

Fredman et l'équipage restaient eux aussi sur la réserve. En dehors des rondes de routine, les astronautes se tenaient éloignés des passagers. Aussi l'atmosphère était-elle tendue.

Vouner entendit dire que Fredman ne devait pas trop faire accélérer l'*Olira*. Il leur faudrait encore au moins trois jours pour atteindre Vélandre.

Vouner fit provision de livres dans la bibliothèque et resta dans sa cabine la plupart du temps. Il avait trouvé un rapport contenant des renseignements sur le Système Bleu et il serait presque arrivé à oublier complètement les activateurs si Buchanan n'avait tenté de s'évader.

Son incarcération avait achevé de perturber le vieillard. Vouner l'entendit crier inopinément. Il se leva d'un bond et courut dans la coursive. Buchanan avait réussi à fracturer la porte de sa cabine. Vouner le vit s'approcher en titubant. Le vieil homme paraissait à bout de forces.

Vouner lui barra la route et le tint solidement. D'autres passagers sortirent dans la coursive et regardèrent le malade, sans bouger.

— Soyez raisonnable, dit Vouner avec insistance. Faites demi-tour.

Buchanan ne parut pas le reconnaître. Il voulut le frapper mais Vouner n'eut aucun mal à éviter le coup. Les yeux du vieil homme brillaient d'un éclat de folie.

— Monsieur Buchanan, dit Vouner doucement.

— Fredman a caché l'activateur, bégaya le vieillard. Il veut le garder pour lui.

— C'est absurde. Rien de tout cela n'est exact. Vous devez vous calmer. Allez vous coucher.

Fredman et un autre homme d'équipage surgirent et écartèrent Vouner. Celui-ci vit l'aiguille d'une seringue briller à la lumière et le corps de Buchanan se détendit soudain.

Fredman avait des cernes noirs sous les yeux comme s'il n'avait pas dormi depuis longtemps. Avec son compagnon il saisit Buchanan et le tira dans sa cabine.

Les deux hommes revinrent aussitôt après.

— Tout va bien, dit Fredman, peu aimable. Regagnez vos chambres.

Vouner hésita mais il se dit que cela avait peu de sens de se quereller avec le capitaine. Irrité du comportement brutal de Fredman, il se retira.

Aussitôt après, Fredman entra sans frapper. Devant l'expression de lassitude sur son visage, Vouner pensa à la responsabilité qui pesait sur le commandant. Ici dans l'espace, il était le maître absolu du navire et de son équipage.

— Au cours des dernières heures, j'ai pu constater une certaine nervosité parmi les passagers, dit Fredman. Qu'en pensez-vous ?

— Ne vous inquiétez pas. Je ne pense guère que les quinze passagers représentent un danger pour vous.

Si Fredman remarqua la pointe dans la voix de Vouner, il n'en laissa rien paraître. Impassible, il dit :

— Comme vous le savez, quiconque remet un activateur à Rhodan reçoit dix millions de solars de récompense. Dès que nous aurons récupéré l'activateur cellulaire, nous nous procurerons cet argent. Dites aux passagers que la somme sera équitablement partagée entre eux et l'équipage. Seuls Mme Grey et Buchanan s'en iront les mains vides.

— Cela semble raisonnable.

— Je suis heureux que vous soyez d'accord avec mes plans.

Il sortit sans prendre congé. Vouner s'allongea sur son lit et réfléchit. Dix millions de solars, c'était une belle somme. Avec la part qu'il recevrait, il pourrait réaliser bon nombre de ses vieux rêves. En son for intérieur, il regretta d'avoir soupçonné Fredman. Le capitaine ne voulait pas l'activateur mais la récompense. Il n'y avait rien de condamnable à cela.

Une demi-heure plus tard, les émissions mentales de l'activateur du système de Vélandre atteignirent l'*Olira* pour la première fois et y provoquèrent le chaos et la panique.

Hendrik Vouner s'éveilla le cœur battant. Il n'aurait pu dire ce qui l'avait tiré de son sommeil. Il était intérieurement agité. Il s'habilla. C'est alors que la voix de Fredman sortit du haut-parleur au-dessus de la petite table :

— Attention ! Tous les passagers doivent rester dans leur cabine. L'*Olira* va atterrir dans tout juste une heure.

Le manque de maîtrise de soi qui perçait dans la voix de Fredman effraya Vouner. Il se demanda ce qu'il devait faire. L'interdiction lui paraissait illogique.

Dans la coursive, le tumulte éclata. Les portes des cabines s'ouvrirent brusquement, des paroles violentes furent échangées et des pieds trépignèrent sur le sol. Un désir insoupçonné poussa Vouner à ouvrir la porte pour voir ce qui se passait.

Le spectacle aurait vraisemblablement épouvanté Hendrik Vouner quelques heures plus tôt. Les passagers, certains à peine vêtus, s'étaient équipés d'armes primitives et se dirigeaient vers la partie du navire occupée par Fredman et ses hommes. En tête marchait Mme Grey, des ciseaux à ongles dans la main droite.

Vouner regarda en arrière dans la coursive. Un membre de l'équipage gisait par terre, roué de coups par les insurgés. Chose étrange, Vouner ressentit une certaine satisfaction. C'était le juste châtiment pour les complices de Fredman qui voulaient s'approprier l'activateur !

L'activateur cellulaire !

Ce fut le mot décisif qui fit perdre définitivement son équilibre psychique à Vouner. Un désir violent, effréné de l'appareil l'envahit. Il devait se l'approprier. Tout d'abord il fallait empêcher que Fredman ne s'en empare. Vouner sourit avec mépris des passagers qui couraient devant lui. Il avait encore besoin d'eux pour éliminer Fredman mais plus tard il devrait s'en débarrasser pour obtenir l'activateur.

— Allons attaquer toute cette bande ! cria Mme Grey.

Des hurlements enthousiastes suivirent ses paroles. Vouner reconnut Permant et Hargreaves, Buchanan et

Van de Wesen qui accompagnaient tous ce groupe d'insurgés.

Mme Van de Wesen était armée d'un pied de table métallique tandis que son mari tenait un minuscule pistolet à la main.

— Suivez-moi ! cria Mme Grey d'une voix aiguë.

Permant se tourna alors vers Vouner. Ses yeux s'agrandirent.

— Voilà ce traître ! cria-t-il.

Armé d'un vieux club de golf, il se précipita sur Vouner. La foule s'arrêta. Penché en avant, Vouner attendit l'attaque. Permant balança son club de golf de haut en bas mais ne frappa que l'avant-bras de Vouner, tendu pour parer le coup. La douleur rendit l'émigrant presque fou.

— Continuez, dit la voix de Mme Grey. Ne vous occupez pas d'eux.

Vouner sentit le courant d'air quand le coup suivant lui frôla l'oreille. Il avait alors déjà attrapé le vieil homme et lui avait donné un coup de tête dans la poitrine. Permant fléchit les genoux en gémissant et s'écroula. L'idée que les autres, sous la direction de Mme Grey, puissent le devancer, poussa Vouner à agir rapidement. Il se jeta sur Permant quand celui-ci voulut se redresser et lui envoya un coup violent au creux de l'estomac. Le club de golf tomba sur le sol. Pour l'instant, Permant était éliminé de la course pour l'activateur. Vouner saisit le club et se leva d'un bond. Mme Grey et ses suiveurs fanatiques avaient déjà disparu au tournant de la coursive. Vouner partit en courant. Peut-être que Fredman avait menti et que l'*Olira* s'était déjà posé.

Mentalement, Vouner voyait déjà l'activateur pendu sur la poitrine de Mme Grey. Il poussa un juron et accéléra l'allure. Mais il vit alors que sa précipitation était inutile. Les passagers étaient rassemblés devant le puits antigrav qui descendait vers le poste central. Vouner comprit aussitôt ce qui s'était passé. Fredman avait manifestement prévu que les passagers se mutine-

40

raient et il avait déconnecté les projecteurs de champ antigrav.

L'arrivée de Vouner passa inaperçue. Furieux, les hommes rassemblés criaient des injures dans l'entrée du puits. Vouner tenait le club de golf solidement, prêt à se défendre. Il existait certainement un autre accès au poste de commandement.

Sans se faire remarquer, Vouner passa devant les enragés. Il avait presque disparu dans la coursive quand derrière lui quelqu'un cria. Il regarda en arrière et vit Van de Wesen agiter son petit pistolet. Aussitôt la meute s'ébranla avec des hurlements assourdissants.

Vouner se mit à courir. Il craignait que les autres ne puissent le rattraper et le rouer de coups.

— Attendez-nous, Vouner ! cria Mme Grey derrière lui.

Vouner eut un rire méprisant. Cette grosse bonne femme ne pourrait jamais se montrer aussi rapide que lui.

Cette partie du navire lui était tout à fait inconnue. Le bruit de ses poursuivants faiblit. Son avance augmenta. Vouner sourit. La coursive décrivait un large arc de cercle et Vouner le suivit sans hésiter.

Au sortir de la courbe, quatre astronautes, l'arme au poing, se tenaient devant lui. Vouner s'arrêta, comme cloué sur place. Une amère déception l'envahit. Les hommes rirent avec mépris. Traqué, l'émigrant regarda autour de soi. Il était impossible de passer devant les quatre hommes armés. Vouner se rappela soudain une minuscule entrée latérale qu'il venait de passer. Il fit demi-tour et rebroussa chemin en courant. Un des astronautes tira mais ne l'atteignit pas. Vouner commençait à transpirer de peur et d'émoi. Il atteignit l'entrée latérale avant les passagers. Ce nouveau couloir n'était pas éclairé. Il s'orienta d'après la faible lueur qui provenait de l'entrée principale. A tâtons, ses mains découvrirent une petite niche. Il s'y glissa de force avec un soupir de soulagement.

Mme Grey et sa suite passèrent précipitamment devant

l'entrée latérale. Avec une certaine satisfaction, Vouner pensa au choc qui allait inévitablement se produire entre les passagers et les hommes armés de Fredman. Nul doute que lors du combat, d'autres concurrents seraient éliminés. Le désir de s'emparer de l'activateur poussa Vouner à se remettre en route. Il n'avait pas de répit. Les émissions mentales de l'activateur cellulaire caché quelque part sur Vélandre II le tenaient en leur pouvoir, lui comme tous les autres à bord.

Plus Vouner s'enfonçait dans le boyau et plus il faisait sombre. Finalement, la lumière qui provenait de la coursive principale ne suffit plus à éclairer l'environnement de Vouner. Il poursuivit toutefois car il se disait qu'il sortirait finalement quelque part. Dans le lointain il entendit des cris d'hommes mais il ne s'en soucia pas.

Son pas suivant rencontra le vide. La panique le saisit quand il bascula la tête la première et que ses mains cherchèrent vainement à s'agripper. Il tomba de quelques mètres, et heurta le sol relativement doucement. Quand il rouvrit les yeux, il faisait de nouveau clair autour de lui.

Hendrik Vouner était couché sur une pile de sacs dans la soute de l'*Olira*. Au-dessus de lui il vit une écoutille maintenant refermée. Elle faisait vraisemblablement partie d'une installation de chargement et s'ouvrait automatiquement quand elle recevait une charge.

Vouner regarda alentour. La gigantesque salle était bourrée de fret de toute sorte. Pas un membre de l'équipage n'était en vue. Vouner se redressa et rampa prudemment jusqu'au bord de la pile de sacs. Il était couché à quelque sept mètres au-dessus du sol de la cale. Les sacs étaient bien imbriqués les uns sur les autres et offraient une bonne prise. Vouner se mit à descendre, lentement mais sûrement. La pile vacillait mais ne céda pas.

Vouner fut toutefois soulagé quand il sentit de nouveau un sol ferme sous ses pieds. D'un geste purement automatique il secoua la poussière de ses vêtements. Puis il chercha des yeux une sortie. Les marchandises entreposées partout l'empêchaient de voir. Il ne lui restait plus qu'à se mettre à sa recherche.

Et pendant ce temps, le navire allait peut-être atterrir. Vouner jura à voix basse. Jamais il n'aurait fait cela auparavant. Mais le Vouner qui se trouvait sous l'influence de l'activateur ne pouvait, à aucun point de vue, être comparé à l'homme qui était monté à bord de l'*Olira*.

Vouner se fraya un chemin parmi le chargement. Fredman avait utilisé presque toute la place.

Finalement, Vouner trouva le sas de chargement de la cale mais il ne pouvait sortir par là. Désespéré, il reprit ses recherches. Il devait bien y avoir un autre moyen de gagner une autre partie du navire.

L'écoutille de chargement !

Vouner s'arrêta. Il n'avait d'autre solution que d'empiler deux ou trois rangées de sacs en escalier pour s'en approcher. Il revint sur ses pas et grimpa vers son point de départ. L'écoutille se trouvait à quatre mètres environ au-dessus de sa tête. En saisissant le premier sac il comprit quelle rude tâche l'attendait. Il n'aurait guère achevé son ascension au moment de l'atterrissage. Chaque sac pesait une cinquantaine de kilos.

Déçu, Vouner s'assit sur la pile. Il ne pouvait plus rien y changer maintenant : il ne pourrait pas participer à la chasse à l'activateur.

Sa tentative pour acquérir l'immortalité avait trouvé une fin soudaine dans la cale de l'*Olira*.

*
* *

La mutinerie d'une partie de l'équipage commença pendant l'atterrissage. Certes, Fredman l'avait prévue, mais il ne put rien faire. Lui-même était aux commandes. Il avait conduit l'*Olira* d'après les relèvements radiogoniométriques de Togray et les calculs de l'ordinateur positonique de bord, à l'endroit où devait à peu près se trouver l'activateur cellulaire.

Fredman quitta l'écran panoramique des yeux quand

Pliatsikas surgit dans le poste central avec trois hommes. Le capitaine eut un geste d'irritation.

— Vous deviez tenir les passagers éloignés ! cria-t-il.

— Pour qu'entre-temps vous puissiez faire tous les préparatifs pour vous approprier l'activateur ? demande Pliastsikas, sarcastique, en pointant son radiant à canon court sur Fredman.

Lentement, le commandant se leva du fauteuil de pilote.

— Qu'est-ce que ça signifie ? demanda-t-il, les dents serrées.

A cet instant la convoitise de Pliatsikas était plus grande que sa soumission.

— Vous êtes relevé de votre poste, dit-il d'un air mauvais.

Togray tira sur le second. Ce fut comme le signal pour les hommes, de se tomber dessus.

— L'*Olira* ! cria Fredman. Nous devons nous occuper de l'atterrissage !

Il voulut regagner le fauteuil de pilote mais l'un des hommes de Pliatsikas lui bondit dessus par-derrière et le fit tomber. L'écran panoramique vola en éclats sous le tir d'un thermoradiant. Fredman cria et fut frappé à la tête. Il roula sous la table de navigation tandis que son adversaire s'agrippait à lui comme un chat. Deux mains lui serrèrent le cou et il lutta désespérément pour respirer. Il donna des coups de pied à l'aveuglette. La table se détacha de ses supports et se renversa. Les hommes criaient, plus personne ne semblait savoir qui luttait contre qui. Fredman sentit la pression sur son cou se relâcher. Il repoussa son adversaire et se releva.

Mme Grey, à la tête de quatre autres passagers, entra alors en trombe dans le poste central. Comme abasourdi, Fredman regardait le chaos. Il dégaina son arme et visa Mme Grey. Lui-même fut alors touché par un tir.

Il s'effondra et perdit conscience.

Sa dernière pensée fut : « L'*Olira* va s'écraser ! »

* *
*

44

La pesanteur se fit sentir si soudainement que Vouner fut rejeté en arrière dans les sacs. Son estomac se rebella contre cette sensation inhabituelle. Il tenta de se relever mais son corps semblait être couvert d'une chape de plomb. Ses oreilles bourdonnèrent, ses yeux se mirent à larmoyer.

Ou bien l'*Olira* accélérait à une vitesse folle ou — Vouner en eut la respiration coupée —, le navire était en chute libre. Péniblement, il rampa par-dessus les sacs. Fredman avait-il quitté le bord avec une chaloupe ? Peut-être envoyait-il l'*Olira* s'écraser à la surface de la planète pour pouvoir entrer sans difficultés en possession de l'activateur ? Vouner sanglota de déception.

Fredman allait s'emparer de l'activateur !

*
* *

Fance Togray baissa son arme quand il sentit la pesanteur se manifester. Un regard aux commandes lui montra que l'écrasement était inévitable.

Fredman gisait sous les débris de la table de navigation et ne bougeait plus. Une petite partie de l'équipage luttait encore. Les passagers dont les corps n'étaient pas habitués aux forces de pesanteur gisaient au sol sans défense.

Togray réfléchit en un éclair. S'il voulait survivre il devait quitter l'*Olira* au plus vite. Il réussit à passer devant les combattants et à gagner l'endroit où étaient accrochés les spatiandres. D'un mouvement brusque, il en décrocha un. Un tir égaré passa devant lui avec un sifflement. Togray brancha le neutralisateur du spatiandre et aussitôt il sentit la pesanteur diminuer. Aussi vite que possible il procéda aux divers réglages.

Puis il fut prêt. D'une main ferme, il saisit son arme. Quand il se tourna vers l'entrée du poste central, quelqu'un se mit en travers de son chemin. Togray assomma son assaillant avec la crosse de son arme et se précipita dehors.

La coursive était déserte. Togray connaissait très bien

la route du hangar. Il utilisa la voie normale car tous les puits antigrav étaient vraisemblablement en panne. L'*Olira* était irrésistiblement attiré par la gravitation de la planète et pénétrerait bientôt dans les couches supérieures de l'atmosphère.

Togray atteignit le hangar et constata avec soulagement que les trois chaloupes étaient toutes à leur place. Nul en dehors de lui n'avait réussi à venir jusqu'ici. Le pouls de Togray battit plus vite à l'idée que l'activateur cellulaire serait bientôt à lui. Il pénétra dans le hangar et monta dans l'un des canots. Il brancha aussitôt le propulseur. Ses regards glissèrent sur les commandes. Quand la pression normale fut établie à l'intérieur de la chaloupe, il rabattit en arrière le casque de son spatiandre avec un soupir de soulagement. D'une main tremblante il débloqua le contact du sac du hangar. Un morceau de la paroi externe de l'*Olira* sembla disparaître. Avec une explosion, l'air s'était échappé du hangar. Quiconque l'aurait suivi ici sans spatiandre serait déjà mort.

La main de Togray saisit le commutateur pour détacher le petit canot de son ancrage. Le propulseur bourdonnait au ralenti, les contrôles montraient que l'embarcation était posée sur le rail, parée à appareiller.

Togray bascula le levier vers le bas mais la chaloupe ne bougea pas.

Les points d'ancrage ne s'étaient pas desserrés !

Togray poussa un juron exaspéré. Dans un rugissement, les propulseurs crachèrent leurs énergies contre la paroi arrière du hangar. Togray augmenta la poussée bien que ce fût extrêmement dangereux à l'intérieur du hangar. La navette trembla mais resta à sa place.

Par le sas ouvert, Togray vit des lambeaux de nuages clairs. Il gémit doucement. Ses mains secouèrent le levier de l'ancrage. Puis il oublia toute prudence et augmenta encore la poussée.

La partie arrière de la chaloupe s'arracha aux points d'ancrage. Le canot bascula en avant. Le hangar vide d'air trembla. Togray perdit toute notion de ce qu'il fallait faire. A l'aveuglette il tâtonna les commandes.

Alors la chaloupe se cabra et avec une vitesse initiale démente, fila vers le sas. Mais le rail était complètement tordu. Juste par son milieu la chaloupe heurta le côté du sas et fut éventrée sur toute sa longueur. Togray fut arraché à son siège et balayé vers la déchirure comme par des flots invisibles. Ses bras s'agitèrent frénétiquement mais c'était une illusion provoquée par l'aspiration.

Car France Togray était mort à l'instant même où la chaloupe s'était fracassée sur le bord du sas.

*
* *

Comme l'*Olira* fonçait à l'oblique vers une pente montagneuse couverte de grands arbres, le navire fut préservé de la destruction totale. L'enveloppe externe en arkonite, chauffée au rouge, brûla par la chaleur dégagée les plus hauts sommets des arbres qu'elle survola. L'*Olira* laissa une trace de feu derrière lui, sentier brûlant qui indiquait sa trajectoire de vol involontaire.

Quand le cargo s'écrasa définitivement, sa vitesse était déjà si réduite qu'il ne vola pas en éclats. Certes l'*Olira* fut déchiré mais la structure d'ensemble demeura. Toutefois, le navire ne pourrait jamais reprendre l'espace.

La forêt tout autour de l'*Olira* était en feu. Les premiers arbres s'effondrèrent. L'endroit de la chute offrait un spectacle de dévastation effroyable. Jamais plus, semblait-il, la vie ne pourrait s'agiter en ce lieu.

Et pourtant, quelques heures plus tard, un homme ramperait parmi ces décombres pour échapper au désastre.

Cet homme ne serait autre que Hendrik Vouner, le seul de l'*Olira* à avoir survécu à l'écrasement. Mais en cet instant Vouner gisait toujours évanoui, sous une pile de sacs.

CHAPITRE V

Les mains fines, presque féminines de Hefner-Seton glissèrent sur la carte. L'Arra rejeta en arrière la cape qu'il portait.

— Ici, dit-il. Ce sera notre prochain objectif.

En dehors de Hefner-Seton, il y avait quatre autres Arras dans le poste de commandement du *Kotark*. Tous étaient des hommes très minces, de grande taille, dont le corps paraissait fragile. Deux d'entre eux étaient chauves, les autres avaient des cheveux clairsemés mais soigneusement séparés par une raie. Dans cet environnement sobre, leurs capes aux couleurs vives attiraient l'attention.

— Le système de Vélandre, dit Hefner-Seton avec un léger sourire, catalogué comme sans intérêt par tous les experts. Au total, trois planètes orbitent autour d'un petit soleil jaune. La trajectoire du monde intérieur passe si près de l'étoile que la planète est un brasier liquide tandis que le monde extérieur est un bloc de rocher froid sans valeur particulière. Seule la planète du milieu est un monde à oxygène. Votre enthousiasme n'augmentera pas quand je vous dirai qu'il s'agit d'une planète couverte de jungles, marais et océans. (Hefner-Seton regarda les autres avec ironie.) Du point de vue politique, cette étoile qui porte le nom de celui qui l'a découverte, appartient à l'Empire auquel nous sommes (l'Arra fit une moue) oui, nous aussi, rattachés. Jusqu'alors aucune tentative n'a été faite pour coloniser ce monde car il existe encore suffisamment d'endroits plus favorables où les Terriens peuvent s'établir.

Trotin, le plus vieux des hommes présents, opina de la tête.

— Merci de vos déclarations, mon ami. Mais ne croyez pas que nous ayons équipé ce navire spécial pour chasser un fantôme. Nous avons lieu de supposer que nous parviendrons à découvrir dans les conditions tropicales de Vélandre II, des bactéries pouvant servir à nos travaux de recherche. Nous pourrons nous mettre au travail sur cette planète sans être dérangés par nos amis terriens.

Hefner-Seton jeta un bref regard aux contrôles.

— Avez-vous encore à discuter d'affaires importantes, messieurs, ou puis-je rappeler mes hommes dans le poste de commandement ?

Pour ces Médecins de très haute formation, Hefner-Seton n'était qu'un travailleur ordinaire qui n'avait rien d'autre à faire qu'à commander un astronef avec un équipage de manœuvres. Hefner-Seton n'avait pas meilleure opinion des Médecins mais contrairement à eux il ne faisait aucun effort particulier pour dissimuler ce qu'il pensait. Certes Hefner-Seton, comme tout Arra, possédait des connaissances médicales, mais l'effort principal dans sa formation avait porté sur l'astronautique. Maintenant il était en route avec ce navire spécial pour conduire les quatre chercheurs dans le système de Vélandre.

— Je pense que c'est tout, dit Trotin. Nous ne vous retiendrons pas plus longtemps, capitaine.

Les quatre scientifiques se retirèrent tandis que Hefner-Seton rappelait l'équipe de service dans le poste central. L'équipage du *Kotark* se composait de trente Arras auxquels s'ajoutaient les quatre passagers qui avaient Vélandre II pour objectif.

Hefner-Seton posa la main sur l'épaule de l'opérateur radio qui entrait.

— J'ai mis un terme, prématurément, à la discussion car nous avons apparemment reçu des signaux de relèvement. (Il indiqua l'appareil à hyperondes.) Veuillez vous en occuper.

C'était bien dans le style de Hefner-Seton de ne pas juger nécessaire d'informer les quatre chercheurs des événements se produisant dans le poste central. Si le *Kotark* recevait un message radio, c'était exclusivement de son ressort à lui. Hefner-Seton ne tolérerait jamais que d'autres se mêlent de ses affaires.

— Sans doute un message radio d'Arralon, dit Jassi-Petan le second.

Hefner-Seton ne dit mot et attendit que le radio ait terminé.

— Ce sont des signaux simples, commandant, déclara finalement celui-ci. Il ne semble pas qu'il s'agisse d'un code. Mais il est certain qu'ils viennent de la deuxième planète vers laquelle nous nous dirigeons maintenant.

Le visage de Hefner-Seton exprima la surprise.

Le radio ajouta :

— Les impulsions arrivent à intervalles réguliers. Toujours sous la même forme : brève, brève, longue, brève, brève.

— Un activateur cellulaire ! cria Jassi-Petan. Ce sont les impulsions d'un activateur cellulaire !

D'un geste, Hefner-Seton ramena le calme.

— Laissez-moi réfléchir, ordonna-t-il. Il peut s'agir naturellement des impulsions d'un activateur mais il est également possible que ce soit un mauvais tour ou un piège.

— Des recherches sur les bactéries ! gronda Jassi-Petan d'un air mauvais. Voici donc ce qui intéresse tant nos quatre amis.

Hefner-Seton hocha la tête.

— Vous jugez trop vite. Je ne crois même pas qu'ils soient au courant de l'existence de cet activateur. La portée d'émission d'un tel appareil ne dépasse pas trois années-lumière et la plupart du temps elle est même inférieure. Avec le *Kotark* nous venons juste de pénétrer dans cette zone. Rien n'indique que nos passagers se doutent de la présence de cet activateur.

— Posons-leur la question tout simplement, capitaine, suggéra le radio.

Les yeux du commandant se rétrécirent.

— Pourquoi ? demanda-t-il.

Pendant un moment, cette question resta en suspens dans la salle et chacun des hommes se laissa aller à ses propres réflexions.

— Oui, à vrai dire pourquoi ? répéta Hefner-Seton. Laissons les Médecins chercher tranquillement leurs bactéries. Nous nous occuperons de l'activateur.

— Il y aura de la bagarre, dit Jassi-Petan avec un mauvais pressentiment.

Le visage de Hefner-Seton se tordit en un sourire froid.

— Naturellement ! Mais dans le cas présent je trouve que l'objet vaut bien une bagarre.

Dès cet instant, chaque homme d'équipage sut que Hefner-Seton revendiquait l'activateur pour soi mais était assez intelligent pour reconnaître qu'il ne pourrait s'en emparer sans combat.

Quiconque voudrait posséder l'activateur devrait lutter pour l'obtenir.

CHAPITRE VI

Quand Hendrik Vouner reprit peu à peu conscience, sa première sensation fut une impression de chaleur torride. Instinctivement il voulut bouger mais un poids sur son corps l'en empêchait. Il ouvrit les yeux collés par la poussière et la suie. A quelques mètres de lui il y avait le feu. Une faiblesse générale et des douleurs menaçaient Vouner d'un nouvel évanouissement. Mais en déployant sa dernière énergie, il parvint à lever la tête.

Il n'était pratiquement rien resté de l'ancienne cale de l'*Olira*. Un spectacle de dévastation s'offrait aux regards de Vouner. Les sacs empilés avaient glissé. La plupart étaient éventrés, leur contenu jonchait le sol de la cale.

Vouner réalisa qu'il avait eu une chance invraisemblable. Il se demanda pourquoi en tombant les sacs ne l'avaient pas enseveli. Il était couché de biais dans une espèce de fosse. Au-dessus de lui flamboyait un mur de feu presque infranchissable. Il n'y avait qu'un endroit, derrière lui, que les flammes n'avaient pas encore atteint.

L'air qu'il respirait puait le tissu brûlé et le plastique fondu.

Vouner lutta avec opiniâtreté contre l'évanouissement. S'il restait couché ici, il finirait inévitablement brûlé vif.

Vouner serra les dents et se mit à tirer son bras droit de dessous les sacs. Quand il y fut enfin parvenu, il constata qu'il avait l'avant-bras blessé.

Son bras gauche était enseveli sous une charge extrêmement lourde mais avec sa main libre il parvint à le dégager lui aussi. Ensuite il fut dans un tel état d'épuisement qu'il resta là plusieurs minutes, les yeux fermés et la respiration difficile.

Peu à peu il prit pleinement conscience de la situation.

L'*Olira* avait fait naufrage. Le navire s'était écrasé sur Vélandre II. Vouner se demanda s'il pouvait y avoir d'autres survivants. Ceux-ci avaient peut-être déjà commencé la recherche de l'activateur cellulaire.

Vouner grogna d'exaspération et avec ses mains, tira sur les sacs placés sur son corps. La pensée de l'activateur lui donnait des forces insoupçonnées. Il travailla comme un fou, sans se ménager.

Finalement il put redresser le buste. Ensuite il lui fut plus facile de se libérer. Il écarta rapidement les derniers obstacles puis il fut debout dans la fosse.

Vouner regarda l'incendie qui lui barrait la route de la liberté. Il se contraignit à réfléchir calmement. Dans sa situation, la plus grande erreur eût été de se précipiter dehors à l'aveuglette.

Il fallait réfléchir avant de poursuivre. Vouner s'essuya le visage et sortit de la fosse en rampant. Arrivé en haut, il vit les dégâts subis par le cargo dans toute leur ampleur. Il gémit.

Le feu l'avait presque totalement encerclé. Vouner leva les yeux et par une déchirure béante il aperçut un ciel couvert de nuages. La fumée s'échappait par cette ouverture mais Vouner ne pouvait suivre le même chemin.

Une explosion l'arracha à ses reflexions. Il devait continuer. Il prit la seule direction que l'incendie lui permettait. Il devait être prudent car par endroits la pile de sacs était instable et menaçait de s'écrouler. Vouner se déplaça comme sur du verglas. La sueur coulait sur son visage et lui piquait les yeux.

Il avait les jambes un peu flageolantes mais il ne songeait pas à abandonner maintenant.

Au bout du chemin qu'il avait pris, un nouveau choc l'attendait. Sa progression était stoppée non par le feu mais par une énorme montagne de marchandises qui avait surgi lors de l'impact de l'*Olira*. Il s'agissait sans exception de pièces de rechange pour des machines, de morceaux d'acier pointus qui s'étaient coincés les uns dans les autres. Comme un rempart ils barraient la route à Vouner.

Il regarda en arrière. Le feu dévorant avançait certes lentement mais inexorablement.

Il saisit un morceau de métal qui dépassait au-dessus de lui et se hissa. Ses pieds trouvèrent un appui. Il gagna ainsi près de trois mètres en déchirant sa veste et son pantalon en plusieurs endroits. Lui-même s'en sortit indemne, exception faite de quelques égratignures et coupures.

Il allait pousser un soupir de soulagement quand la pile céda sous lui. Il cria, s'agrippa désespérément et sentit une pointe d'acier pénétrer dans son mollet. Heureusement il ne glissa pas avec elle jusqu'en bas.

Avec la plus extrême prudence, il poursuivit sa fuite devant le feu. Maintenant il vérifiait d'abord la solidité de ses prises avant de s'y accrocher.

Enfin, alors qu'il croyait déjà que la montagne de métal ne prendrait jamais fin, il atteignit le sommet. De sa place il parvint à saisir l'un des étais principaux, arrachés, de l'*Olira*. En se tenant solidement aux éclisses installées à intervalles réguliers, il s'approcha peu à peu de la déchirure. Des colonnes de fumée passaient devant lui, le faisaient tousser et lui bouchaient la vue. Puis peu à peu l'air fut plus respirable. L'incendie brûlait au moins dix mètres plus bas.

A proximité de la déchirure, l'étai principal était tordu et un morceau s'avançait dans la cale. Prudemment, Vouner marcha en équilibre sur l'étroite traverse. Une éternité parut s'écouler avant qu'il ne saisisse finalement le bord de la brèche à deux mains et ne se hisse hors de la soute.

Vouner pouvait maintenant dominer toute la zone de

l'accident. L'épave couvrait une large surface au milieu d'une jungle épaisse. Tous les arbres avaient été brûlés dans un rayon de plusieurs centaines de mètres. Dans sa chute, le navire avait arraché, renversé ou coupé des racines. De l'autre côté, la forêt brûlait toujours. L'*Olira* rappelait à Vouner un fruit crevé.

En flammes et calciné, le navire s'était enfoncé dans le sol et avait explosé. Dans ce chaos il ne pouvait plus y avoir de vie. Si les membres de l'équipage n'avaient pu appareiller avec les chaloupes, lui, Hendrik Vouner, était alors le seul survivant. Sa chute par l'écoutille de chargement lui avait sauvé la vie.

Vouner savait qu'il était inutile de chercher les causes de l'accident. Ou bien c'était une conséquence du sabotage de Buchanan, ou bien Fredman avait commis une erreur.

Vouner regarda en direction du poste de commandement totalement détruit. Là-bas il ne pouvait voir trace de vie humaine.

Il sortit complètement à l'air libre. L'épave était entourée d'une jungle épaisse. La forêt primitive qui paraissait impénétrable, représentait un nouvel obstacle pour Vouner. Un sentiment oppressant s'insinua en lui. Comment survivrait-il dans cet environnement ? Il n'avait aucune expérience de la manière de se comporter sur des planètes étrangères. Il était livré sans défense à la moindre bête sauvage, à la moindre plante vénéneuse.

Vouner se secoua. Ici quelque part, l'attendait un activateur cellulaire. Il sentait toujours l'émission mentale de l'appareil qui battait dans sa poitrine comme une séduisante promesse.

Vouner se laissa tomber à la surface de la planète inconnue. Le sol était doux et souple. Au milieu des débris, Vouner se sentit solitaire.

Accablé, il rôda autour de l'*Olira* détruit pour chercher une arme. Il trouva plusieurs fusils radiants mais ils n'étaient plus en état de fonctionner. Il força l'accès à une partie encore relativement intacte de la coursive principale. Par les brèches il rentrait suffisamment de lumière. Il faisait une chaleur torride.

Soudain il tomba sur Buchanan. Le vieil homme était mort mais malgré tout Vouner fut effrayé jusqu'au plus profond de lui-même. Dans les yeux grands ouverts de Buchanan, la convoitise de la vie éternelle semblait encore se refléter.

Le feu n'avait pas pénétré ici si bien que le cadavre pouvait encore donner l'impression qu'il s'agissait d'un homme endormi. Vouner vit que le vieux n'avait pas été tué par la chute. Dans sa poitrine il y avait la marque de l'impact d'une roquette. Vouner comprit que pendant l'atterrissage, passagers et astronautes s'étaient combattus. Peut-être était-ce là la raison de l'accident.

Buchanan était couché en travers d'un fusil radiant. En hésitant, Vouner s'avança près du mort et prit l'arme. Il étudia le mécanisme et fit un tir d'essai. Le radiant fonctionnait.

A la hâte, Vouner quitta la coursive. Il fut content de se retrouver au grand air.

La recherche de nourriture constituait un autre problème. Il n'y avait aucune chance de trouver des concentrés de nourriture dans les débris de l'*Olira*. Tout avait dû être la proie des flammes.

Le seul endroit où dénicher quelque chose de mangeable, c'était la jungle.

Vouner regarda le ciel. La couche de nuages était si épaisse qu'il ne pouvait repérer la position du soleil. Tôt ou tard, la nuit viendrait et avec elle tous les périls de la jungle.

Avec défi Vouner étreignit son arme. Devait-il renoncer maintenant, à deux pas du succès ? Il n'avait qu'à suivre les émissions mentales de l'activateur cellulaire pour le trouver.

CHAPITRE VII

Sorgun, l'opérateur radio du *Kotark,* fit tourner si rapidement son siège que Hefner-Seton sursauta.

— Il est parti ! lança-t-il.

Hefner-Seton se leva et se pencha par-dessus Sorgun pour regarder les appareils.

— Les signaux de relèvement de l'activateur ont cessé, dit le radio à voix basse. Ils ont été brusquement interrompus.

Les regards du capitaine glissèrent sur les contrôles.

— Nous allons nous poser dans quelques instants. Peut-être cela a-t-il un rapport ?

— Non, dit Sorgun. Nous aurions d'abord eu des parasites. A mon avis, les signaux radio ont simplement été arrêtés.

— Et pourquoi ? intervint Jassi-Petan.

Sorgun haussa ses épaules étroites.

— Il n'y a qu'une explication : Quelqu'un s'est emparé de l'activateur. Quelqu'un qui nous a devancés.

Seul Jassi-Petan vit blanchir les jointures de mains de Hefner-Seton qui agrippaient le dossier du siège de Sorgun. Autrement, le commandant du *Kotark* gardait toute sa maîtrise.

— Un autre navire d'Arralon a-t-il été envoyé vers cette planète ? s'enquit-il.

Jassi-Petan secoua la tête.

— Par hasard j'ai pris connaissance de la liste des appareillages depuis l'astroport de Grolturn, commandant. Ce jour-là le *Kotark* fut le seul vaisseau à appareiller. Les jours précédents il n'y eut que des cargos. Le lendemain de notre départ, on attendait le navire terrien qui avait à bord la relève de la base impériale de Doun.

Hefner-Seton se caressa le front, comme pour chasser des pensées.

— Si nous croyons les déclarations des chercheurs — et pourquoi ne pas les croire ? — il n'existe aucune race autochtone intelligente sur Vélandre II. Si l'activateur a été trouvé par une créature vivante, il doit donc y avoir un astronef sur cette planète. (Hefner-Seton se pencha un peu en arrière.) En cet instant je regrette plus que jamais l'insuffisance de l'armement du *Kotark.*

— Peut-être serait-il quand même indiqué d'informer nos passagers, proposa Jassi-Petan.

— Non !

Kruz qui était aux commandes cria par-dessus son épaule :

— Nous entrons dans l'atmosphère, commandant !

— Continuez ! ordonna Hefner-Seton. Qu'indiquent les détecteurs ?

Le regard expérimenté de Jassi-Petan survola les dispositifs de contrôle.

— Une faible déviation, commandant. Si le relèvement vient d'un navire, celui-ci doit être très petit.

— Est-ce un navire ou non ? cria Hefner-Seton.

Jassi-Petan se montra prudent.

— Je dirais non.

Hefner-Seton retourna en silence vers l'installation radio.

— Sommes-nous à peu près au-dessus de l'endroit d'où venaient les signaux ?

— Oui, confirma Sorgun. Très précisément, commandant.

Les rides fines du visage de Hefner-Seton parurent se creuser.

— Pourquoi la transmission d'images ne fonctionnet-elle pas correctement? On ne voit que des ombres sombres.

— Une épaisse couche nuageuse, commandant. Les ombres annoncent sans aucun doute de grandes forêts.

Le *Kotark* s'enfonça davantage dans l'atmosphère dense de la planète. Hefner-Seton fit occuper et parer à tirer les deux tourelles d'artillerie du navire. Puis il envoya le second auprès des quatre Médecins.

— Dites-leur que nous allons sans doute rencontrer des difficultés sur cette planète. Vous pouvez leur dire que nous pensons qu'il s'y trouve un vaisseau ennemi mais ne mentionnez en aucun cas l'activateur cellulaire.

Jassi-Petan s'empressa de disparaître du poste central. Hefner-Seton se chargea alors personnellement de surveiller la détection au sol. Tandis que les yeux plissés il regardait les écrans, le second frappait à la porte de la cabine de Trotin.

Il entra sans attendre d'y être invité. Les quatre Médecins s'y trouvaient réunis. Jassi-Petan sourit et referma énergiquement la porte derrière soi.

— Que voulez-vous? s'enquit Trotin peu aimable.

Jassi-Petan se dirigea vers le centre de la pièce et des deux bras s'appuya sur la petite table.

— J'ai une nouvelle importante pour vous, messieurs, annonça-t-il.

Puis il relata dans tous les détails les événements des dernières heures. Il leur dit également que Hefner-Seton lui avait interdit de parler de l'activateur cellulaire.

Les quatre Médecins gardèrent le silence jusqu'à ce qu'il ait terminé.

— Vous trahissez votre commandant, fit ensuite remarquer Trotin.

L'astronaute sourit avec indifférence.

— Hefner-Seton a dit lui-même que nous lutterions pour l'activateur. Bon, très bien, j'ai engagé le combat. J'estime qu'il est plus correct que vous soyez au courant. Grâce à votre expérience, vous pourrez peut-être venir à bout des problèmes plus tôt.

— Naturellement vous ne nous fournissez pas cette information gratuitement, n'est-ce pas ? s'enquit Trotin ironique.

— Pour un activateur, Perry Rhodan paie dix millions de solars. Cela fait une jolie somme pour chacun de nous.

Ahuri, Trotin secoua la tête.

— Je croyais que vous vouliez l'activateur ?

— Naturellement, avoua Jassi-Petan sans détours. Mais nous sommes tous des types intelligents. Il est tout compte fait possible que nous ne parvenions pas à nous éliminer mutuellement. Nous devrons alors nous entendre sur une base quelconque. Dix millions de solars me semblent appropriés pour ça.

Un collaborateur de Trotin s'avança.

— Que se passera-t-il si nous refusons votre proposition et informons le commandant de votre trahison ?

Le second répondit sèchement :

— Je serai alors fusillé. (Il se redressa et ajouta :) Mais cela ne vous rapportera rien car en aucun cas Hefner-Seton ne vous fera participer à l'affaire.

Trotin dit d'un ton cassant :

— Partez maintenant. Nous allons y réfléchir.

Sans un mot, Jassi-Petan quitta la cabine. Il avait aiguillonné les scientifiques et enfoncé un clou entre eux et le commandant.

Cela avait été son premier coup contre Hefner-Seton. D'autres allaient suivre.

Quand il pénétra dans le poste central, le commandant se tenait juste devant les écrans de la détection au sol et discutait avec animation avec Sorgun.

— Que s'est-il passé ? demanda Jassi-Petan.

Hefner-Seton montra l'écran dépoli.

— Voyez vous-même.

Le *Kotark* avait percé la couche nuageuse. Les détecteurs fonctionnaient maintenant parfaitement. Jassi-Petan vit que leur vaisseau tournait au-dessus d'une vaste forêt.

Puis il découvrit l'épave.

— Par les sept planètes ! Un navire échoué ! Il brûle encore par endroits.

Hefner-Seton inclina la tête.

— Un cargo terrien, déclara-t-il. Nous avons déjà constaté qu'il n'appartenait pas à la flotte de guerre de l'Empire. Pas la moindre trace d'une tourelle d'artillerie.

— Il est tombé tout près de l'activateur cellulaire, ajouta Sorgun.

— Des survivants ?

— Aucune trace, répondit Hefner-Seton. Il doit toutefois y en avoir car l'un d'eux s'est emparé de l'activateur. Je peux même imaginer pourquoi ils ont fait naufrage. Des querelles ont dû se produire pendant la manoeuvre d'atterrissage au sujet de l'activateur. Ces cargos ont souvent des passagers à bord ; ils auront naturellement succombé à la pression psychique de l'activateur.

Jassi-Petan mit quelques secondes à s'adapter à la nouvelle situation.

— Atterrissons-nous ? s'enquit-il ensuite.

Hefner-Seton le regarda du coin de l'œil.

— Certainement. Vous pensiez peut-être que je laisserais échapper ces types avec l'activateur ?

Presque insensiblement, la tension avait monté dans le poste de commandement. Jassi-Petan sentit l'irritation avec laquelle les hommes s'observaient. Désormais chacun d'eux surveillerait les gestes des autres avec la plus grande méfiance. Hefner-Seton faisait clairement comprendre qu'il revendiquait l'activateur. Le commandant était rusé et il ne fallait pas commettre l'erreur de le sous-estimer. Jassi-Petan décida de rester à l'arrière-plan et d'attendre sa chance.

En cercles de plus en plus serrés, Hefner-Seton fit descendre le *Kotark* près de l'épave. A proximité du navire écrasé, il n'y avait aucun signe de survivants. Ils avaient sans doute fui dans la jungle.

Le navire se posa en douceur près des restes de

l'*Olira*. Les caméras électroniques du *Kotark* observèrent les environs. Rien ne bougeait.

— Le lieu de l'accident semble abandonné, annonça Sorgun succinctement.

Hefner-Seton brancha le dispositif d'intercom.

— Interdiction à tous de quitter le navire sans mon ordre formel ! dit-il d'un ton cassant. Au moindre signe de désobéissance, vous seriez aussitôt abattus. J'attends la plus stricte obéissance de la part de l'équipage.

Il laissa tomber le micro. Dans le poste central, les hommes évitèrent son regard.

— Faites venir nos passagers dans le poste central, ordonna-t-il à Jassi-Petan.

Patiemment il attendit que l'officier soit de retour avec les quatre scentifiques.

Quand Trotin entra, il se dirigea droit sur Hefner-Seton.

— Tout d'abord je dois vous rappeler que vous devez nous consulter à la moindre difficulté, dit-il irrité. Pendant que vous nous laissiez dans nos cabines, des décisions importantes ont été prises ici !

— Arrêtez ces histoires ! l'interrompit le capitaine. Nous avons seulement vérifié si ce navire représentait un danger pour nous. Personne n'a encore quitté le *Kotark*. Pour ma part vous pouvez maintenant exprimer votre point de vue.

— Je propose que nous quatre sortions seuls pendant que vous garderez le *Kotark*.

Hefner-Seton éclata d'un rire sonore.

— Garder ? De qui ? Votre proposition est rejetée. Au-dehors vous aurez besoin d'appui. Nous allons laisser trois hommes à bord, ça suffit amplement.

Trotin jeta à Jassi-Petan un regard d'appel à l'aide qui échappa au commandant. Jassi-Petan se détourna.

— Je vais d'abord jeter un coup d'œil dehors, annonça Hefner-Seton.

Il choisit trois hommes pour le suivre. La mine sombre, les autres suivirent le petit groupe du regard.

Dans le sas le commandant arrêta ses compagnons.

— N'espérez pas une action isolée, dit-il ironiquement. Si des Terriens traînent dans ces forêts, il est
dangereux pour nous d'effectuer des recherches en
petits groupes. Nous allons seulement examiner les
environs immédiats du *Kotark*.

Il ouvrit le sas et ils sortirent.

CHAPITRE VIII

Là où le feu n'avait pas fait rage, les feuilles des
arbres étaient humides. Le sous-bois était si épais que
Vouner eut du mal à pénétrer dans la forêt. Avec le fût
du fusil il écartait les buissons devant lui. De grandes
feuilles en forme d'entonnoir laissaient tomber des
gouttes d'eau sur lui. Un vol d'oiseaux minuscules passa
au-dessus de lui, peut-être étaient-ce d'ailleurs des
insectes. Des lianes s'emmêlaient autour de ses jambes
et ses vêtements restaient accrochés à des écorces
poisseuses.

Au-dessus de sa tête, dans les branches, se blottis-
saient des animaux qui ressemblaient à des courges
vivantes. Ils sifflaient de colère à l'encontre de l'envahis-
seur. Vouner s'orientait selon l'intensité avec laquelle
l'émission mentale de l'activateur l'atteignait.

Sans hésiter il se frayait un chemin. Il n'imaginait pas
qu'il puisse être difficile, après tout, de découvrir
l'activateur dans cette jungle. Il était convaincu que de
ce point de vue il n'y aurait aucune difficulté.

Il rencontra une clairière et décida de faire une pause.
Il se laissa tomber dans la mousse.

Alors seulement, en cet instant de calme complet, il
sentit qu'il avait les nerfs tendus. L'agitation l'avait
fortement éprouvé. La vie paisible qu'il avait menée
jusqu'alors avait pris fin d'un seul coup.

Une bande de courges descendit des arbres et l'encercla avec curiosité. Leurs sifflements incessants énervèrent Vouner. Il leva son fusil.

Mais avant qu'il n'ait pu tirer, il découvrit le socle. D'un bond il se leva et courut vers le socle de pierre.

L'activateur cellulaire était posé dans un petit creux. Il était ovale et était accroché à une chaînette. Vouner fut si bouleversé qu'il s'arrêta, comme paralysé. Son cœur battait à coups sourds. Il ne pouvait que rester là à contempler sa formidable découverte. Maintenant qu'il avait atteint son objectif, il lui paraissait incroyable que précisément lui soit entré en possession d'un activateur.

Avec précaution il tendit une main tremblante vers le socle. Il prit son temps car que signifiaient donc quelques secondes pour un immortel ? Le bout de ses doigts toucha l'appareil et resta posé de longs instants sur la surface lisse et fraîche.

Ce fut comme si un courant perceptible lui traversait le corps. Très lentement, Vouner saisit la chaînette et sortit l'activateur de la dépression. L'objet dispensateur de vie oscillait comme un pendule entre ses doigts. Il posa le fusil contre le socle de pierre, ouvrit sa chemise et se mit l'activateur autour du cou.

Il perçut les impulsions vivifiantes de l'appareil s'écouler dans son corps. Involontairement il se raidit. Il sentait en lui une force et une puissance insoupçonnées. Toute fatigue avait soudain disparu.

Son corps semblait se fondre avec le petit objet sur sa poitrine. Doucement, les pulsations entraient en lui avec une caresse. Vouner ferma sa chemise et reprit le fusil.

Il était immortel !

Il regarda autour de soi d'un air triomphant. Maintenant seulement il prenait conscience de la puissance et de la force de l'activateur cellulaire. Toute sa vie passée lui apparaissait comme vide de sens, comme une brève respiration dans un espace prodigieux.

Trente-deux ans, ce n'était rien à côté de ce qu'il pouvait désormais attendre. Maintenant seulement il commençait vraiment à vivre. Vouner éclata de rire. Il

La valeur de la vie.   3.

pouvait faire toutes les choses possibles sans avoir à se hâter. Il n'était plus poussé par la précipitation d'un homme normal qui ne peut guère s'attarder à quelque chose, qui meurt avant même d'avoir vraiment compris son univers.

Vouner prit une profonde inspiration. Il pouvait mettre cent ans pour une action extravagante — et il resterait toujours aussi jeune. Cette pensée le fascina — elle ouvrait de fantastiques perspectives pour un homme imaginatif.

Non seulement il serait immortel, mais aussi puissant.

Il serait l'un des vingt-cinq porteurs d'activateur, sans compter Perry Rhodan et l'Amiral Atlan. Il serait donc l'un des hommes les plus importants parmi plus de dix millions d'êtres humains.

Hendrik Vouner, métallurgiste, trente-deux ans, émigrant dans le Système Bleu, célibataire et sans richesses. C'était par ces mots succincts qu'on avait pu jusqu'alors le présenter. Il avait vécu comme un rien, n'existant absolument pas pour l'histoire. Pas même un grain de poussière à l'intérieur de la communauté humaine, il avait mené sa vie simple et s'était persuadé qu'il était satisfait.

Cette époque appartenait maintenant au passé.

Car désormais Hendrik Vouner écrirait l'Histoire.

L'Histoire terrienne.

L'Histoire cosmique !

Fredman, Buchanan, Permant et Togray, tous avaient voulu posséder l'activateur. Maintenant ils étaient morts. L'éclair de génie qu'ils appelaient vie s'était éteint.

Pour l'instant Vouner était encore prisonnier sur cette planète. Mais maintenant cette pensée ne l'effrayait plus. Il pouvait attendre mille ans et plus l'arrivée d'un navire terrien. La planète était un monde à oxygène. Un jour on la coloniserait.

Vouner sourit. Il avait le temps, un temps incroyable.

Il épaula le fusil radiant, visa et détruisit le socle sur

lequel il avait trouvé l'activateur. C'était un acte symbolique.

L'appareil ne reposerait jamais plus là-bas. Il quitterait ce monde sur la poitrine de Vouner.

Peu à peu son ivresse se dissipa. Il recommença à penser logiquement. Avant tout il devait trouver un abri sûr. Avec les diverses parties de l'*Olira* il pouvait certainement se construire une habitation primitive. Il dresserait son quartier général là où le vaisseau s'était écrasé.

Provisoirement il dormirait dans la partie à peine détruite de la coursive principale mais il devrait enterrer Buchanan.

Peu à peu, Vouner saisit toute la signification de l'immortalité. Son assurance crût. Cela se manifesta aussi extérieurement. Il se tenait maintenant bien droit, son regard devenait provocant.

L'activateur cellulaire sur sa poitrine valait dix millions de solars. Mais Vouner savait que jamais il ne toucherait cette somme. L'immortalité était sans prix. Aucun tribunal de l'Empire ne pouvait le priver de l'activateur. Il était le possesseur légal de l'appareil.

Il passa devant une rangée de buissons bas couverts de fruits en forme de bouteille. Son estomac se manifesta. Il arracha un des fruits. Il ne savait pas encore très bien si l'activateur le protégeait aussi d'un empoisonnement.

Vouner examina le fruit et constata qu'il avait une coque dure. Il le posa sur le sol et le frappa avec la crosse du radiant.

La coque éclata et un liquide jaune en sortit. Avec les doigts Vouner gratta un peu de la pulpe. Elle était amère mais pas infecte. Il mangea jusqu'à en être rassasié. A son étonnement, son estomac accepta la nourriture.

Il cueillit quatre autres fruits pour en avoir une provision et poursuivit sa route.

Quand il eut regagné l'épave, il n'y avait pratiquement plus aucun problème pour lui. Maintenant il lui fallait seulement attendre l'arrivée d'un vaisseau terrien.

Il sortit le cadavre de Buchanan et se mit en quête d'un morceau de métal pour creuser une tombe.

Quand il l'eut trouvé et qu'il se mit au travail, l'astronef étranger apparut dans le ciel.

Le bruit des propulseurs fit sursauter Vouner. Il leva les yeux et jeta sa bêche primitive. Il agit alors d'une manière purement instinctive. D'un geste il saisit son fusil et disparut en quelques bonds sous le couvert de la jungle.

Le navire descendait rapidement. Vouner vit qu'il n'était pas de fabrication terrienne. Il se demanda comment il avait trouvé l'endroit. Il pensa aux signaux de relèvement de l'activateur. Toutes les races qui disposaient d'hyper-récepteurs les connaissaient. L'activateur avait émis jusqu'au moment où Vouner l'avait passé à son cou. L'équipage de ce navire avait vraisemblablement déjà reçu les signaux. Maintenant il allait s'efforcer de récupérer l'appareil. Personne n'avait besoin de dire à Vouner que ces efforts ne se limiteraient pas aux méthodes légales. Celui qui voulait l'activateur devrait se battre pour lui.

Vouner suivit l'atterrissage du navire étranger. Il était un peu plus grand que l'*Olira* mais cylindrique, avec un petit renflement en poupe. Les vaisseaux cylindriques des Marchands Galactiques que Vouner avait vus en photographies, lui étaient apparus infiniment plus grands.

Qui donc composait l'équipage de cet astronef ?

Vouner jeta un regard de regret en direction du corps de Buchanan. La tombe fraîchement commencée était explicite. Tout nouvel arrivant saurait comment interpréter ces traces.

Vouner vit sortir les béquilles d'atterrissage de l'arrivant et les vit s'enfoncer dans le sol mou. Le corps métallique de l'astronef trembla encore un peu puis il s'immobilisa. Tout en Vouner le poussait à fuir aveuglément dans la jungle. Mais il se disait qu'on ne pouvait le découvrir immédiatement. Dès qu'il saurait qui avait atterri, il pourrait encore prendre la fuite.

Pendant longtemps, rien ne bougea dans le navire étranger.

Puis, alors que Vouner s'étonnait déjà de la prudence exagérée des étrangers, un petit sas s'ouvrit.

Quatre hommes sortirent. Aussitôt, Vouner vit qu'il ne s'agissait pas de Terriens. Les étrangers portaient des capes colorées. Ils étaient grands et minces, avaient le visage maigre et les yeux intelligents. Leur aspect lui parut familier. Il fit un effort de réflexion.

Les étrangers s'arrêtèrent quelque temps dans le sas. Prudemment, l'arme au poing, ils descendirent ensuite la passerelle. Retenant son souffle, Vouner suivait chacun de leurs mouvements. Les quatre hommes marchaient apparemment sans peine sur le sol lourd.

En un éclair la mémoire revint à Vouner.

C'étaient des Arras, des Médecins Galactiques !

Vouner se souvint qu'il en avait vu quelques-uns lors d'une visite de l'astroport de Terrania. Ces hommes se déplaçaient avec la même arrogance. Hendrik Vouner avait déjà lu bien des choses au sujet de cette race qui était une branche de souche arkonide mais avait ensuite suivi sa propre évolution. Jadis les Arras avaient créé de grandes difficultés à l'Empire Solaire. Maintenant ils faisaient partie de l'Empire mais tout homme versé en politique savait que pour les Médecins cette alliance n'était qu'une nécessité à laquelle ils obéissaient par raison et non par conviction. Tout comme avant ils suivaient leurs propres chemins.

Vouner se doutait qu'il devrait lutter pour l'activateur cellulaire. Les Arras avaient trouvé la trace de l'appareil. Avec obstination ils continueraient à chercher. Il maudit son insouciance qui l'avait conduit à creuser aussi ouvertement la tombe de Buchanan. En quelques instants, les Arras sauraient qu'il y avait des survivants.

Vouner se demanda avec angoisse quelle pouvait être la supériorité numérique des étrangers. Toutefois la jungle impénétrable offrait d'innombrables cachettes. Il avait l'avantage de connaître la position de ses adversaires tandis que ceux-ci devraient commencer par le chercher.

Un plan fantastique vit le jour dans son cerveau. Peut-être y avait-il moyen de quitter Vélandre II avec ce vaisseau. S'il parvenait à attirer dehors une grande partie de l'équipage, il pourrait certainement maîtriser les hommes restés dans le navire et les contraindre à le conduire où il voulait.

Un des Arras poussa un cri aigu. Vouner sursauta mais il remarqua vite qu'il n'était pas à l'origine de l'agitation de l'homme.

Les quatre Arras avaient découvert le corps de Buchanan. Dès cet instant ils furent certains qu'il y avait au moins un survivant sur ce monde.

Ce n'était que sur lui qu'ils pourraient trouver l'activateur.

Il n'en irait pas autrement qu'à bord de l'*Olira*. Chaque Arra essaierait de s'emparer de l'activateur. Il y aurait inévitablement des querelles.

C'était là la chance de Vouner.

Eh bien, il livrerait un rude combat à ces grands gaillards. Il ne voulait pas céder ce qu'il avait chèrement acquis.

*
* *

— L'homme n'est pas mort depuis longtemps. Il n'est pas encore raide.

Comme pour prouver ses dires, Hefner-Seton enfonça le canon de son arme dans le corps détendu de Buchanan. L'odeur de l'incendie à peine éteint flottait sur les lieux. L'atmosphère était oppressante.

— On a tenté d'enterrer le mort, dit un des compagnons de Hefner-Seton.

Le commandant du *Kotark* glissa son arme en bandoulière.

— Nous l'avons vraisemblablement dérangé, supposa-t-il. Quel que soit celui qui a creusé ici... il doit avoir l'activateur.

Dans les yeux des trois Arras brûlait le désir de se lancer aussitôt à la poursuite de cet homme. Mais Hefner-Seton réprima ses propres désirs du même ordre.

— Le survivant est vraisemblablement armé, dit-il en regardant alentour avec un sentiment de malaise. Sur ce terrain dégagé nous offrons une bonne cible. Retournons donc dans le *Kotark* ; nous allons constituer quatre équipes de recherches.

Il n'échappa pas à Hefner-Seton que ses compagnons l'observaient avec méfiance. Apparemment ils craignaient qu'il ne veuille rester seul dehors pour s'approprier l'activateur.

Involontairement, le commandant fit la grimace. Bien sûr qu'il serait le possesseur de l'activateur mais l'appareil parviendrait entre ses mains d'une autre manière que ne le supposaient ces imbéciles. Hefner-Seton savait que son seul adversaire sérieux était Jassi-Petan. Et bien sûr les quatre cherchers créeraient aussi des difficultés si on ne parvenait pas à leur cacher l'existence de l'activateur.

Pourquoi devrait-il, lui le commandant du *Kotark,* courir inutilement des risques ? Il formerait quatre groupes qui poursuivraient et abattraient le détenteur de l'activateur. Ces hommes s'épieraient mutuellement, à tel point qu'aucun d'entre eux ne pourrait s'approprier l'appareil. Et d'une manière ou d'une autre, ils seraient contraints de revenir à bord.

Hefner-Seton lui-même décida d'attendre le butin à l'intérieur du navire, loin de tout danger. Pour faire face aux querelles inévitables, il avait déjà un plan établi. Il soumettrait aux hommes d'équipage une proposition qu'ils ne pourraient qu'accepter parce qu'elle était la meilleure solution pour tous.

Hefner-Seton déposerait l'activateur en un lieu neutre jusqu'à ce que le *Kotark* ait regagné Arralon. Ensuite il aurait suffisamment de temps pour faire valoir ses prétentions légales sur l'appareil. Sur Arralon, aucun de ses hommes ne se risquerait à utiliser la force contre lui. Naturellement, tôt ou tard ils comprendraient son subterfuge, mais comme ils se méfiaient aussi les uns des autres, ils feindraient hypocritement de considérer la solution du commandant comme la solution idéale.

Le plan de Hefner-Seton était étudié dans ses moindres détails. Il n'avait omis qu'un seul facteur : le Terrien qui portait l'activateur. L'Arra prenait son adversaire trop à la légère.

Quand ils regagnèrent le poste central du *Kotark*, le commandant sentit aussitôt la nervosité qui régnait parmi l'équipage. Aucun de ses hommes n'avait pu dire un mot car Trotin et ses collègues se trouvaient encore dans la salle. Hefner-Seton se félicita intérieurement de ce coup.

Seul Jassi-Petan parut au commandant d'un calme surprenant. Tôt ou tard, Hefner-Seton devrait s'occuper des plans de son second. Jassi-Petan n'était pas d'une intelligence supérieure à la moyenne mais sa rouerie innée le rendait dangereux.

— Alors ? demanda Jassi-Petan quand Hefner-Seton eut regagné son siège.

— Je suppose qu'il ne s'agit que d'un seul survivant. Il a vraisemblablement fui sous l'effet de la peur mais il reviendra bientôt.

— Nous devrions faire quelque chose pour apaiser ses craintes, proposa Trotin. Nous ne pouvons le laisser tomber. Il peut monter à bord du *Kotark.* Ensuite, sur Arralon, nous le remettrons au commandant de la base terrienne.

Hefner-Seton ne pouvait faire autrement que de souscrire en apparence, à la proposition du Médecin. Mais il n'avait nullement l'intention de secourir le Terrien. Le détenteur de l'activateur ne devait pas quitter vivant cette planète car l'Empire ne reconnaissait que la possession légale d'un activateur. Dès que les agents de Rhodan découvriraient que Hefner-Seton s'était emparé de l'appareil par la force, il n'y aurait plus un seul endroit sûr pour l'Arra à l'intérieur de la Galaxie. C'est pourquoi il dit à Trotin :

— Vous avez raison. Mais les Terriens sont notoirement méfiants. Cela va durer quelque temps avant que nous ne le trouvions. (Il réfléchit un instant.) Je vais confier à chacun de vous une partie de l'équipage. Ces hommes pourront vous aider dans votre tâche et en même temps chercher le survivant.

— D'accord, déclara Trotin de bonne grâce.

Hefner-Seton procéda à la constitution des groupes. Jassi-Petan fut lui aussi affecté à une équipe.

— A quel groupe appartenez-vous, commandant ? demanda Trotin quand Hefner-Seton eut terminé.

— Je reste à bord du *Kotark*.

— Vous ? laissa échapper Jassi-Petan.

La voix du commandant était chargée d'ironie quand il demanda :

— Cela vous surprend-il ?

Le visage de Jassi-Petan prit la rigidité d'un masque. Ses gestes parurent soudain crispés.

— En effet ! dit-il entre ses dents.

— Je dirigerai l'opération depuis le *Kotark*, annonça Hefner-Seton. De cette manière je pourrai rester en liaison avec le groupe et intervenir aussitôt si je l'estime nécessaire.

Jassi-Petan inclina plusieurs fois la tête.

— Je comprends, murmura-t-il.

— Sorgun et Fertrik resteront également à bord, ordonna le capitaine.

Hefner-Seton sentit croître littéralement la résistance intérieure des hommes. Maintenant il lui fallait se montrer assez fort pour étouffer dans l'œuf toute mutinerie. Les hommes devaient avoir assez à faire les uns avec les autres pour ne pas avoir le temps de s'occuper de leur supérieur.

Il lui était complètement égal que les hommes s'entretuent dès qu'ils auraient trouvé l'activateur.

Quel que fût le possesseur, il n'aurait d'autre alternative que de revenir à bord du *Kotark*.

Hefner-Seton n'avait qu'à attendre.

En silence, il regarda les hommes quitter le navire. Sur l'écran il observa les astronautes escalader les débris de l'épave terrienne et pénétrer peu à peu dans la forêt.

Dans les pensées de Hefner-Seton il n'y avait pas de place pour la pitié à l'égard du survivant terrien.

Quel qu'il fût, il n'aurait possédé l'immortalité qu'un bref instant.

Car tôt ou tard, un petit objet en métal pendrait sur la poitrine de l'Arra. Hefner-Seton porta la main vers son cœur. L'activateur cellulaire lui était assuré. Il pouvait presque le sentir déjà. Et à cette pensée il sourit froidement.

Ce sourire glacé resta gravé sur ses lèvres et Sorgun qui avait observé son commandant du coin de l'œil, se détourna avec un sentiment de malaise.

*
* *

Quand Hendrik Vouner vit plus de trente hommes quitter l'astronef, il sut que la chasse à son activateur cellulaire avait commencé. Il attendit que les quatre groupes se soient formés et dirigés vers la jungle dans des directions différentes.

Il décida de laisser les Arras pénétrer d'abord dans la forêt vierge. Ils faisaient un tel bruit qu'il pouvait déterminer leur position sans devoir les garder constamment à l'œil.

Il devait partir du principe que chaque groupe essaierait à tout prix de l'attraper avant les autres. Si une partie des Arras avait seulement le moindre soupçon qu'il était tombé entre les mains d'un autre groupe, il n'y aurait plus de retenue. Tous les hommes qui le pourchassaient se rassembleraient alors à l'endroit où ils le supposaient.

Vouner devait tirer profit de la convoitise qu'éveillait l'activateur. Quand il quitta son poste d'observation, un plan bien établi avait déjà mûri en lui.

Il avançait rapidement et peu après il n'entendit plus

les Arras. La jungle s'étendait devant lui dans un silence sinistre. Rien n'indiquait ce qui se déroulait en son sein. Inlassablement, Vouner se frayait un chemin à travers les fourrés. Des insectes lui piquaient les bras et le visage mais il ne le sentait guère. Il tomba dans les rets poisseux d'une plante grimpante et dut se libérer à coups furieux. Il faisait une chaleur accablante mais il ne pleuvait pas en dépit de la couche de nuages.

Vouner s'arrêta pour se reposer un instant. Dans les branches supérieures d'un arbre, un oiseau aux couleurs magnifiques gazouillait. Dans le sous-bois, de petites bêtes se faufilaient avec un léger bruit et les « courges » sifflaient d'excitation.

Vouner reprit sa route, et peu après il eut l'impression que le sol devenait marécageux. Le sous-sol était mou et élastique. Par ailleurs la végétation se modifiait. La couleur verte jusqu'alors prédominante, cédait la place à un brun foncé. Les racines des arbres sortaient du sol, semblables à des monstres à plusieurs bras. Une odeur de pourri assaillit Vouner. Le silence s'épaissit encore. Les dernières « courges » restèrent en arrière.

Vouner pénétra dans un paysage mort. Quelque part il entendit le gargouillement du gaz naturel s'échappant du marécage. Ici de très vieux arbres étaient couchés les uns sur les autres, leurs branches mortes entremêlées. Des troncs pourris, envahis d'innombrables plantes parasites, lui barrèrent la route. Il dut les escalader en courant constamment le risque de glisser.

Peu après il atteignit le véritable marais, un énorme lac noir qui s'étendait devant lui. Des souches d'arbres, vaincues dans le combat pour la vie, en sortaient, se dressant comme de gigantesques doigts levés en avertissement.

D'énormes bulles montaient à la surface et éclataient avec un bruit de baiser. A peu près au centre du lac, une fougère isolée bravait la suprématie du marécage. Une odeur de putréfaction flottait sur cette région comme un épais rideau.

Vouner s'assit dans la fourche de deux branches grosses comme le bras et se pencha en arrière.

Il devait attirer les Arras en ce lieu.

C'est alors que juste devant lui, la surface du marais s'ouvrit et qu'un crâne énorme, noir et ruisselant, en sortit. Avec un cri d'effroi, Vouner fit un bond. Le marécage bouillonna et s'agita. Le tronc sur lequel le Terrien s'était installé, vacilla.

Fasciné par la peur, Vouner regardait ce spectacle antédiluvien. Quelque part dans cette tête monstrueuse, il crut reconnaître deux yeux à l'éclat de braise. Une odeur bestiale se répandit. Un cou plus large que les épaules de Vouner suivit le crâne en surface.

Vouner sentit que le tronc sur lequel il se tenait, était lentement soulevé comme s'il s'agissait d'un fétu de paille. L'épouvante le fit vomir. Il tomba à genoux ; d'une main il agrippa une branche tandis que de l'autre il tenait son fusil solidement.

La bête sortit lentement du marais en soulevant l'arbre de plus en plus haut. Vouner s'accrochait désespérément. Le tronc glissa jusqu'au moment où il heurta une bosse sur le dos du monstre et y resta couché. A demi fou de peur, Vouner épaula son fusil. Mais avant qu'il n'ait pu tirer, le monstre se remit à bouger. D'une seule secousse il se leva définitivement.

Le tronc perdit son appui, glissa sur le dos du titan et dans un éclaboussement tomba dans le marécage. Vouner poussa un cri quand il sentit ses jambes s'enfoncer dans la boue. Alors la queue de la bête claqua au-dessus de lui et fendit le tronc en deux. Du bois pourri éclata et une pluie de fragments s'abattit sur Vouner. Tout un lac de boue puante parut se déverser sur lui.

Comme un mur sombre, le corps de la bête passa devant le Terrien. Encore une fois, la queue frappa le marais. Puis le monstre s'éloigna lourdement tandis que des branches cassaient sous ses pas et que le ciel semblait vaciller.

Vouner sentit que son morceau de tronc s'enfonçait peu à peu dans le marais. Il coinça son fusil entre les branches de façon à pouvoir se hisser à deux mains. Ses jambes furent libérées et il roula sur le dessus de l'arbre. La fange se referma avec un gargouillis autour de la partie inférieure du tronc.

De l'autre côté du marais, l'animal colossal s'enfonça dans la forêt. Vouner l'entendit se frayer un chemin en haletant. Il s'agissait vraisemblablement d'un herbivore tout à fait inoffensif mais il avait mis Vouner en grand péril. Le Terrien était maintenant allongé au moins à cinq mètres de la rive, sur un morceau d'arbre qui s'enfonçait progressivement. Avec une force primitive, le monstre avait projeté Vouner au loin, sans même avoir remarqué l'homme.

Vouner n'osait se redresser craignant que le tronc ne se mette à vaciller ou à se retourner. Il eut un rire sardonique devant l'ironie du sort. Aucun activateur cellulaire ne pourrait le préserver d'une mort par noyade.

Le tronc s'enfonçait peu à peu. A son extrémité inférieure, Vouner voyait le marais s'élever en rampant comme une chose vivante. Il frissonna.

Allait-il trouver la mort ici, dans ce monde primitif et désert ? Ce n'étaient pas les Arras qui l'avaient vaincu mais un hasard malheureux qui mettrait un terme à ses jours. Et maintenant qu'il portait la clef de la vie éternelle, la mort lui apparaissait doublement effroyable.

*
* *

Hefner-Seton pouvait imaginer Jassi-Petan au milieu de la jungle.

— Nous n'avons pas encore trouvé de trace d'un survivant, commandant. Il semblerait que nous nous soyons trompés.

— Vous êtes libre d'interrompre les recherches.

Pendant un moment ce fut le silence mais l'Arra pouvait entendre la respiration difficile de Jassi-Petan.

— Nous poursuivons les recherches, dit ensuite Jassi-Petan.

— Le ou les Terriens ne peuvent être allés très loin, lui rappela Hefner-Seton. Vous devez chercher des traces.

— Les autres groupes ont-ils eu plus de chance?

— Non.

Jassi-Petan ne poursuivit pas l'entretien. Le commandant regarda le chronographe du bord.

— Le temps passe très lentement, dit Sorgun. Il n'y a pas longtemps que les hommes ont quitté le navire.

— Si nous n'avons pas l'activateur cellulaire avant la tombée de la nuit, il sera difficile de l'obtenir jamais.

— Quand fera-t-il nuit sur cette planète? demanda Fertrik.

— Nous ne nous en sommes pas encore occupés. Commençons donc les mesures au lieu de rester inactifs.

Le commandant, Sorgun et Fertrik se mirent à l'œuvre. Le cerveau positonique du *Kotark* commença à bourdonner doucement quand il reçut les premières données.

Au bout d'un certain temps, Jassi-Petan se manifesta de nouveau.

— Que s'est-il passé? s'enquit Sorgun qui reçut l'appel.

— Passez-moi le commandant!

Sorgun se tourna vers Hefner-Seton qui était précisément penché sur les résultats d'analyse de l'ordinateur.

— Apparemment il ne veut le dire qu'à vous, commandant.

Lentement Hefner-Seton s'approcha de l'appareil radio. Il prit le microphone.

— Alors?

— Je crois que nous avons une piste. Les appareils de détection enregistrent une faible éruption d'énergie. Elle s'est sans doute fait sentir jusqu'au *Kotark*.

— Possible. Qu'est-ce que c'est?

— Vraisemblablement le tir d'une arme énergétique.

— Pouvez-vous déterminer l'endroit approximatif du tir ?

— C'est déjà fait.

L'un après l'autre, les chefs des autres groupes se manifestèrent alors signalant la même observation. Le commandant ne les empêcha pas de se mettre tous en route vers la même direction.

Tôt ou tard ils se rencontreraient. L'un des hommes aurait déjà l'activateur. Cette idée procura un plaisir sadique à Hefner-Seton. Il se les imagina, courant maintenant dans la jungle pour arriver avant les autres.

Hefner-Seton déconnecta l'appareil radio. Il n'avait pas besoin d'être informé de la suite des événements. Il pouvait très bien imaginer ce qui allait maintenant se passer.

Il se remit au travail. La nervosité croissante de Sorgun et de Fertrik était manifeste. Hefner-Seton se dit qu'il devrait garder ces deux-là à l'œil.

— Dernière analyse, fit-il savoir, et il glissa une bande de programmation dans la fente de l'ordinateur.

En silence il observa alors l'alternance des voyants de contrôle.

Un peu plus tard il reçut les résultats d'analyse.

— Alors, quand fera-t-il nuit ? demanda Sorgun, impatient.

Avec un sourire, Hefner-Seton glissa les résultats dans la poche de sa cape. Ses dents étincelèrent.

— Bientôt, dit-il. Bientôt.

*
* *

Quand le marais atteignit ses genoux, Vouner se décida à lutter contre sa fin imminente. Qu'il s'enfonçât sans défense dans la boue ou qu'il ne renonçât qu'après un violent combat, c'était à vrai dire sans importance.

Le tronc était déjà tellement enfoncé dans le marais qu'il n'y avait plus guère de risque de se retourner avec lui. Vouner se redressa prudemment. A un mètre environ au-dessus de sa tête, une liane pendait d'un arbre géant qui se dressait à l'oblique dans le marécage. Epaisse comme le doigt, elle descendait en spirale.

Vouner ignorait si elle était solide. Peut-être n'était-elle même pas bien fixée et se détacherait-elle de l'arbre à la moindre traction.

Vouner leva le fusil et le balança jusqu'au moment où l'extrémité de la plante fut entortillée sur le canon. Sous ses pieds le tronc s'enfonça un peu plus dans la boue avec un gargouillement. Des bulles d'air et de gaz montèrent en surface, formant un tapis au chatoiement multicolore.

Vouner tira sur la liane. Avec souplesse, la tige gorgée d'eau s'inclina vers lui. Quand elle ne céda plus, il vérifia en tirant un peu plus mais la plante résista. Son extrémité était approximativement près de son visage.

En mettant son fusil en bandoulière, il faillit trébucher. Avec la semelle de ses chaussures il avait tellement souillé la surface du tronc qu'elle était aussi glissante que du savon mou.

L'arme sur le dos, Vouner saisit la liane à deux mains. Elle était humide mais solide. Il y grimpa un peu et leva les jambes. Aussitôt la plante l'arracha au tronc et le balança plus loin dans le marais. Le cœur battant violemment, Vouner tenta de créer un mouvement de pendule.

Il se produisit alors une secousse et Vouner poussa un cri. Il se voyait déjà tomber dans la vase mais la liane tint bon. Il s'élança en arrière, plana un bref instant au-dessus du tronc qu'il avait quitté et oscilla ensuite vers la rive.

Il en était encore éloigné de deux mètres quand le mouvement inverse s'enclencha. Vouner fut de nouveau emporté. La force de ses bras diminua. Il ne pourrait plus tenir longtemps.

Au terme de l'oscillation de retour, Vouner se risqua à tendre les jambes car il avait alors atteint le point le plus haut de sa trajectoire. Ensuite, quand il repartit vers la rive, il donna à la liane toute l'impulsion dont il était capable. Au milieu il dut de nouveau relever les jambes pour ne pas rester bloqué dans la vase.

Cette fois-ci la liane l'amena juste au-dessus de la rive. En un éclair Vouner la lâcha et fut propulsé encore un peu plus loin par l'élan. Puis il heurta le sol. D'un geste purement instinctif, il se mit les deux mains devant le visage. Il fit la culbute et faillit se rompre le cou.

Quand il leva les yeux, il vit le marais à seulement un mètre de ses pieds. La liane pendait, tremblante, à sa place d'origine.

Entre-temps le tronc sur lequel il avait été couché, avait complètement disparu. Vouner poussa un soupir de soulagement. Près de lui, les traces du monstre s'enfonçaient dans la forêt.

Maintenant il pouvait de nouveau penser aux Arras et mettre son plan initial à exécution. Sans hésiter il prit son fusil radiant et tira dans le marais.

Cela attirerait ses adversaires. Tandis qu'ils le chercheraient ici, il serait déjà près de leur vaisseau.

Tôt ou tard, les Arras trouveraient les traces de la bête géante. Peut-être supposeraient-ils alors que leur victime s'était noyée dans le marais ou avait été dévorée par le monstre.

Vouner se sentit animé d'un nouveau courage. Il laissa le marais derrière lui et pénétra dans la forêt.

Trente minutes plus tard, il se heurta à Jassi-Petan et à son groupe.

Trempé par la sueur, Jassi-Petan s'arrêta. Cette maudite jungle avait partout le même aspect. Heureusement les appareils ne se laissaient pas duper sinon il aurait juré que ses six compagnons et lui tournaient en rond.

Et dans les branches des arbres, ces bêtes importunes qui ne cessaient de siffler ! Jassi-Petan appela d'un signe l'homme qui portait le détecteur.

— Encore très loin ? demanda-t-il.

L'homme fit signe que non. Jassi-Petan essuya la sueur de son visage. Il croyait maintenant savoir pourquoi le commandant n'avait pas pris part aux recherches. Hefner-Seton réservait ses forces pour le dernier round. Quel que fût celui qui trouvait l'activateur, il devrait retourner à bord du *Kotark*.

Hefner-Seton n'aurait rien d'autre à faire qu'à prendre réception de l'activateur. Jassi-Petan jura. L'assurance avec laquelle Hefner-Seton dirigeait l'opération accrut encore la haine du second. Le commandant semblait trouver tout naturel que ses ordres soient suivis sans réserve, même en présence de l'activateur cellulaire. Naturellement, Hefner-Seton connaissait l'irrésolution de son équipage mais il faisait celui qui ne la remarquait pas. Cet homme était d'une intelligence diabolique.

Mais tout ceci ne l'empêcherait pas, lui Jassi-Petan, de revendiquer l'activateur pour lui-même.

— Nous continuons ! ordonna-t-il.

Les hommes tournèrent vers lui leurs visages couverts de sueur. Ils le haïssaient certainement, suivaient avec méfiance chacun de ses mouvements, attendant également l'occasion de s'approprier l'activateur. La pensée de l'immortalité avait fait de chacun l'ennemi des autres. Personne ne voulait abandonner.

En haletant, Jassi-Petan écarta un buisson. Des feuilles lui fouettèrent le visage. Il souhaitait voir tomber une pluie rafraîchissante bien que cela eût rendu la marche encore plus pénible.

C'est alors qu'à seulement dix mètres de lui, un homme sortit de derrière un arbre.

C'était un Terrien. Une chaîne pendait à son cou et dans les mains il tenait un fusil radiant ancien modèle.

Jassi-Petan fut beaucoup trop surpris pour réagir assez rapidement.

Le Terrien tira plus vite que lui.

Jassi-Petan fut projeté en arrière et tomba sur l'homme qui le suivait. Un voile noir se dressa devant ses yeux. Ses mains agrippèrent désespérément la cape de son compagnon qui le repoussa toutefois brutalement.

Jassi-Petan sentit un autre tir siffler au-dessus de sa tête puis ce fut l'obscurité totale autour de lui. La chasse à l'activateur avait coûté la vie à un homme de plus.

Le premier tir de Vouner avait été plus une réaction instinctive qu'un acte réfléchi. Quand il vit les mains de l'Arra saisir son arme, il tira par pur instinct de conservation. Il vit son adversaire tomber en arrière. L'homme qui marchait derrière le blessé se libéra et saisit son arme lui aussi.

Vouner sauta de côté et tira encore une fois. Puis il alla se mettre aussitôt à couvert derrière l'arbre. Il avait été trop imprudent. L'esprit occupé par l'activateur, il n'avait absolument pas entendu le bruit que faisaient les Arras en s'approchant. Quand l'homme avait surgi devant lui, il n'avait plus eu le temps de fuir.

Collé contre l'écorce dure de l'arbre, essoufflé, Vouner était là. Dans le meilleur des cas il y avait encore quatre adversaires. C'était une supériorité numérique qui faisait paraître toute résistance absurde.

L'oreille aux aguets, il entendit ses adversaires approcher dans le sous-bois. Il ne pouvait rester plus longtemps à cette place. Il chercha un autre abri des yeux. L'arbre suivant était au moins à dix mètres de là.

Le premier tir radiant jaillit, creusa un sillon noir dans l'écorce et mit le feu aux buissons derrière Vouner.

— Sortez de là, Terrien !

Ils allaient le tuer ! Même s'il se rendait maintenant. Ils ne pouvaient prendre l'activateur à Hendrik Vouner vivant.

— Que le diable vous emporte !

Une véritable pluie de tirs radiants fut la réponse. Ecorce et feuilles voltigèrent, le sifflement des armes thermiques vrombit aux oreilles de Vouner. Derrière lui, le sol fut labouré, l'énergie se déchargeait avec des crépitements tandis que le feu s'étendait de plus en plus.

Tôt ou tard, les Arras se scinderaient et l'attaqueraient des deux côtés. Il ne devait pas laisser les choses en arriver là. La peur de perdre l'activateur le rendit fou furieux. La fumée des buissons en feu l'enveloppait. Les « courges » faisaient un vacarme d'enfer. Des nuées d'insectes fuyaient devant la progression rapide de l'incendie. La fumée le faisait pleurer. En toussant, il se mit la main devant la bouche.

Il vit alors surgir la cape multicolore d'un Arra. Le Médecin s'était approché en se faufilant sur le côté. Vouner, furieux, prêt à tout, sortit en trombe du rideau de fumée. Pour l'ennemi il n'était qu'une ombre grise dans un nuage de fumée.

L'Arra tira. Juste devant Vouner le sol parut exploser. L'onde de choc jeta le Terrien de côté. En tombant il répliqua au tir puis s'éloigna à quatre pattes. Un coup tiré à l'aveuglette passa au-dehors de lui. Quelque part, un homme jura en intergalacte.

Vouner sut alors qu'ils l'avaient perdu de vue. Il n'était pas encore sauvé. Sans doute avaient-ils maintenant deviné qu'il voulait les contourner et gagner leur navire.

Sa seule chance était d'atteindre leur astronef pendant qu'ils le cherchaient. Il sentait les forces émises par l'activateur couler à flots dans son corps.

Un coléoptère noir, gros comme le pouce, se posa en bourdonnant sur son épaule. Vouner balaya l'insecte de la main et se mit à courir. L'épaisseur de la végétation l'empêchait d'avancer très vite. Mais il se disait que les Arras aussi se heurtaient aux mêmes difficultés.

Vouner passa devant une plante aux feuilles gigantesques qui s'étendaient presque comme des toits. Des nuées d'insectes y grimpaient. Le Terrien passa en courant sous l'une des feuilles ; il fut alors saisi et soulevé. La feuille s'était penchée vers le sol et s'était enroulée autour de lui. Un liquide poisseux coula sur son visage.

En battant désespérément des bras et des jambes, Vouner parvint à respirer. Il était tombé dans le piège d'une plante carnivore. Avec un frisson il vit d'innombrables os, blanchis, au centre de la plante. Plus il se débattait et plus la feuille l'enserrait. Il fut peu à peu soulevé comme par une bascule. Le rouleau dans lequel il était s'approchait inexorablement de la gueule du monstre. Une rangée de piquants entourait l'ouverture destinée à Vouner.

La feuille continuait à l'arroser du liquide nauséabond. Vouner eut beau s'agiter et se débattre, il ne put se libérer. Plusieurs gouttes du produit toxique lui éclaboussèrent les yeux. Il cria de douleur sous l'effet de la brûlure.

Par un effort presque surhumain, Vouner dégagea son fusil et tira sur la gueule de son tortionnaire. Un rayon de feu s'enfonça dans la plante qui fut prise de mouvements convulsifs. Vouner avait l'impression effroyable de sentir des milliers de ventouses sur sa peau. Le fusil lui échappa. La tige de la feuille s'étira et souleva encore Vouner.

Puis la tige se plia et Vouner redescendit à toute allure. A demi aveuglé par le poison projeté, il tendit les bras. Une douleur folle l'inonda. Puis l'étreinte se relâcha. Il retomba sur le sol. Etourdi, il rampa hors d'atteinte du monstre mourant.

Pendant un moment il resta là, étendu, incapable de bouger. Peu à peu il sentit les forces lui revenir. Il se mit péniblement debout. Ses vêtements étaient déchirés à en être méconnaissables.

Le danger auquel il venait d'échapper renforça sa volonté de s'emparer de l'astronef des Arras. Même pour un immortel, cette planète offrait la mort sous des milliers de formes. Tôt ou tard, il serait victime d'une bête quelconque. En quelques heures il avait déjà regardé la mort deux fois dans les yeux. Seule la chance et la détermination l'avaient sauvé.

Vouner frissonna en pensant à la nuit. S'il la passait dans la jungle, il signerait son arrêt de mort. La route vers l'épave de l'*Olira* où il pouvait trouver refuge dans la coursive intacte, était rendue périlleuse par la présence des Arras.

Il n'existait qu'un moyen de survie : il devait pénétrer

d'une manière ou d'une autre dans le vaisseau des Médecins Galactiques.

*
* *

Trotin survola le marais du regard et dit :

— Il devait être ici il y a encore peu de temps.

Il tâta avec ses pieds la trace du monstre nettement imprimée dans le sol mou.

— A vrai dire le groupe de Jassi-Petan aurait dû arriver ici le premier, dit-il.

Goernas, l'un des astronautes, dit d'un air gêné :

— Je propose que nous fassions demi-tour avant que la chose qui a laissé ces traces ne revienne.

— Inquiet ? s'enquit Trotin, railleur.

— Le Terrien a sans doute été victime de cette bête, se défendit Goernas, irrité.

Méprisant, Trotin fit signe que non.

— Informons le commandant de cette nouvelle situation. Malsag, appelez le *Kotark* !

Ils attendirent tandis que Malsag manipulait la radio.

— Le récepteur à bord du *Kotark* est débranché, annonça finalement Malsag. Je ne comprends pas.

« Tu le comprends fort bien, pensa Trotin, mais aucun de vous ne veut parler de l'activateur parce qu'il s'imagine que je ne suis pas au courant. »

— Nous devons retourner là-bas aussitôt. Il s'est sûrement passé quelque chose.

Trotin leva les mains.

— Un instant ! cria-t-il d'un ton sec. Cessez cette comédie. Si vous pensez que je crois toujours que nous voulons seulement secourir un naufragé, vous vous trompez. Chacun de vous est à la poursuite de l'activateur. Maintenant vous craignez que Hefner-Seton ne soit déjà en possession de l'appareil et ne nous abandonne en ces lieux. En outre vous soupçonnez Jassi-Petan d'être déjà passé ici et d'avoir emporté l'activateur.

— Pourquoi restez-vous donc encore ici si vous êtes si

bien informé sur tout ? demanda Goernas d'un ton haineux.

Trotin vit la haine et l'embarras sur les visages de ses compagnons.

— Je suis un vieil homme, beaucoup trop las pour me battre encore. J'aimerais toutefois posséder l'activateur, bien sûr, ne serait-ce que par pur intérêt scientifique.

On lui éclata de rire au nez. Trotin attendit calmement que l'agitation se fût apaisée.

— Mes connaissances médicales nous donnent une bonne chance d'obtenir l'activateur, dit-il. Je peux, si je le veux, anesthésier tout l'équipage du *Kotark,* pour ensuite prendre toutes les mesures nécessaires en toute tranquillité.

— Pour cela il vous faut d'abord être à bord, gronda Malsag.

— Exact. Mais vous faites erreur si vous croyez que Hefner-Seton porte déjà l'activateur. Le commandant veut nous rendre tous un peu nerveux et pousser ceux qui ont trouvé l'activateur à se presser, pour qu'ils n'oublient pas de revenir au *Kotark.* Le silence radio du vaisseau n'est qu'une astuce. Si nous retournons maintenant, le *Kotark* sera toujours à sa place.

— Qui a l'activateur, à votre avis ?

Trotin regarda les astronautes les uns après les autres.

— Il n'y a qu'une possibilité, dit-il. Jassi-Petan ! Il était plus près du marais que tous les autres groupes. Il a aussitôt réagi au coup de feu. Pourquoi donc n'est-il pas là ?

Après une brève délibération, les hommes décidèrent que Trotin devait les ramener au *Kotark.* Ils furent de son avis que là-bas seulement ils pourraient suivre les événements.

Au bout d'un moment ils rencontrèrent les corps de Jassi-Petan et d'un autre Arra. Trotin fit stopper son groupe.

— Manifestement, la lutte pour l'activateur a déjà commencé, supposa Goernas.

En silence, Trotin se pencha sur le corps du second.

Son visage se tordit en une grimace de surprise furieuse. Le tir qui avait tué l'Arra provenait d'une arme étrangère.

— Vit-il encore ? demanda Malsag.

Le scientifique hocha la tête.

— C'est un meurtre ! cria Jossat-Prug d'une voix aiguë.

Trotin se redressa et poursuivit sa route. Pourquoi leur dire qu'il croyait moins à un meurtre qu'à un acte de légitime défense ?

CHAPITRE IX

Comme hypnotisé, Hefner-Seton regardait la silhouette en guenilles qui se dessinait nettement sur l'écran. L'homme qui, là-bas, sortait de la jungle, était sans nul doute un Terrien. Les épaules pendantes, il s'approchait du *Kotark*. Dans la main droite il tenait un fusil radiant de fabrication terrienne. Les mouvements de l'homme donnaient une impression de fatigue mais en même temps ils exprimaient la détermination.

Bien que cet homme fût seul, épuisé et marqué par les traces de rudes combats, Hefner-Seton ressentit une légère crainte mêlée d'admiration pour cet homme solitaire qui savait certainement très bien quel danger il courait.

Sorgun se pencha par-dessus l'épaule de son commandant.

— Le voici ! dit-il.

— Où sont nos hommes ? demanda Fertrik à l'arrière-plan.

Ils l'entendirent vérifier que son arme thermique était bien chargée. Hefner-Seton se retourna lentement.

— Que projetez-vous ? demanda-t-il à Fertrik d'une voix incisive. Vous voulez peut-être le tirer comme un lapin ?

Fertrik rectifia la position de son ceinturon et rengaina son arme d'un geste décidé.

— Il est dangereux, grogna-t-il. Il est parvenu à duper nos équipes de recherches.

— Nous le laisserons monter à bord, décida Hefner-Seton.

Sans un mot, Fertrik quitta le poste de commandement. Sorgun évita de regarder le commandant dans les yeux.

— Branchez le haut-parleur extérieur ! ordonna Hefner-Seton.

En silence, le radio exécuta l'ordre. Hefner-Seton saisit le micro. Mais avant qu'il n'ait pu parler, Fertrik apparut sur l'écran.

— Cet idiot a quitté le *Kotark* malgré mon ordre ! laissa échapper Hefner-Seton.

Le Terrien s'était arrêté et attendait. Il tenait son fusil prêt à tirer à hauteur des hanches.

— Jetez-moi l'activateur ! dit la voix de Fertrik.

Hefner-Seton eut un rire méprisant. Le désir de la vie éternelle faisait perdre la raison même aux hommes intelligents.

Le Terrien n'avait nullement l'intention d'obéir. Le canon de son radiant pivota et se dirigea vers la poitrine de Fertrik.

Les deux Arras dans le *Kotark* entendirent une voix rauque dire doucement :

— Ecartez-vous de mon chemin !

Le désir insensé de l'immortalité, la passion aveugle de l'impossible, amenèrent Fertrik à saisir son arme.

Fertrik fut rapide, même très rapide. Il tira un coup avant que le Terrien ne fasse feu. Mais il le manqua et n'eut pas une seconde chance. Calmement, presque à contrecœur, le Terrien tira. Fertrik tomba la tête la première et resta étendu sans bouger. L'étranger regarda vers le *Kotark,* dans l'expectative.

— Le sas est encore ouvert, dit Sorgun d'une voix blanche.

Hefner-Seton se fit violence pour arracher ses regards du corps de Fertrik.

— Cachez-vous, ordonna-t-il. Laissez-le entrer. Dès qu'il m'importunera, vous l'éliminerez.

Sorgun regarda le commandant d'un air dubitatif mais se retira ensuite derrière l'ordinateur du bord.

Hefner-Seton fit pivoter son siège de manière à voir l'entrée du poste central.

*
* *

Certes Vouner ne s'était pas attendu à trouver le vaisseau des Arras sans surveillance. L'attaque maladroite l'avait toutefois surpris. Il était persuadé qu'il y avait encore d'autres hommes à bord. Il l'espérait même car sans l'aide d'astronautes expérimentés, il ne pourrait jamais conduire ce vaisseau sur la Terre.

A tout instant il s'attendait à voir jaillir un tir radiant de l'une des tourelles d'artillerie dissimulées mais rien ne se produisit. Le désir de l'immortalité avait-il poussé tous les Arras dehors, à l'exception de celui-ci, ou guettaient-ils en embuscade quelque part ?

S'ils avaient voulu l'abattre ici, dehors, ils auraient déjà pu le faire, se dit-il alors. L'attaque de l'Arra ne pouvait être que l'action d'un solitaire.

Depuis qu'il possédait l'activateur, les derniers complexes de Vouner avaient disparu. Il n'avait plus rien en commun avec cet homme calme et équilibré qui avait décidé d'émigrer dans le Système Bleu. Des passions profondément cachées en lui en avaient fait un fauve aux réactions instinctives qui voulait défendre l'immortalité acquise, par tous les moyens. S'il y avait encore, quelque part en lui, un reste de son ancien caractère, ce sentiment était complètement brisé par la puissance de l'activateur.

L'ancien Hendrik Vouner n'aurait sans doute jamais pu tirer sur un adversaire, mais l'homme qui portait l'activateur n'hésita pas à protéger sa vie — sa vie éternelle.

Vouner atteignit le sas et regarda en arrière. Aucun de ses poursuivants n'était en vue. Il étreignit davantage son fusil et pénétra dans le vaisseau étranger. La coursive qui conduisait à l'intérieur était vivement éclairée. Rien n'indiquait que l'on attendait déjà sa venue.

Vouner s'arrêta et tendit l'oreille. Un silence irréel l'entourait. Il regarda alors franchement autour de soi car il avait de plus en plus l'impression d'être observé. Il passa devant diverses salles mais il hésita à en ouvrir les portes pour jeter un coup d'œil à l'intérieur.

Finalement il arriva devant le poste de commandement dont la porte était ouverte.

Vouner entra, l'arme au poing.

Assis dans un fauteuil, un homme mince, les bras croisés sur la poitrine, le regardait.

— Le meilleur moyen d'obtenir un activateur cellulaire, c'est de se le faire apporter, dit Hefner-Seton.

Vouner fit trois pas en arrière, ferma la porte et pointa son fusil sur l'Arra.

— Fermez le sas ! ordonna-t-il. Allez !

Hefner-Seton obtempéra. Vouner l'observa attentivement. L'assurance de l'Arra ne lui échappa pas. Pourquoi cet homme l'avait-il attendu, sans arme ?

— Avez-vous l'activateur ? demanda l'Arra.

— Oui. Et je le garde.

Hefner-Seton s'installa confortablement dans son fauteuil.

— Je suis le commandant de ce navire. Dans quelques instants, l'équipage du *Kotark* va arriver. Dans ces conditions, que voulez-vous encore faire ?

— Combien de personnes faut-il au minimum pour appareiller ? s'enquit Vouner d'une voix étouffée.

— Dix hommes pourraient peut-être y parvenir.

Vouner savait que l'Arra mentait. Les vaisseaux modernes pouvaient, en cas de nécessité, être pilotés par seulement trois hommes.

— Nous essaierons quand même, décida-t-il.

— Que projetez-vous ?

— Vous allez me conduire sur la Terre avec ce vaisseau.

— Et si je m'y refuse ?

L'arme dans la main de Vouner se leva un peu.

— Je n'ai rien à perdre, lui rappela le Terrien.

Il sentit alors le canon glacé d'une arme sur sa nuque.

— Laissez tomber votre fusil ! ordonna Sorgun.

Vouner ferma les yeux. Ses mains s'ouvrirent et le radiant heurta le sol avec fracas. Vouner tremblait. Maintenant tout était fini. Dans le jeu pour l'immortalité il avait risqué trop gros — et avait perdu. Les Arras l'avaient dupé. Sur Vélandre II il avait trouvé la vie éternelle mais seulement pour y perdre sa propre vie, une vie brève et pitoyable.

Vouner sentit la pression sur sa nuque se relâcher un peu.

— Bien joué ! Hefner-Seton félicita son radio.

Vouner vit le commandant se lever et venir lentement vers lui.

— Halte ! cria Sorgun.

Hefner-Seton s'arrêta et son visage exprima la surprise. A la hâte, Sorgun recula jusqu'à la porte. Ses yeux avaient un regard de dément.

— Terrien ! cracha-t-il. Poussez votre arme jusqu'ici avec le pied !

— Que signifie ceci, Sorgun ? cria Hefner-Seton.

Le radio éclata d'un rire horrible.

— Vous ne vous y attendiez pas, hein ? Avec votre arrogance vous pensiez que personne ne pouvait vous contester l'activateur. Méditez encore sur l'immortalité, commandant, car vous n'en aurez plus très souvent l'occasion. Je vais prendre l'activateur.

CHAPITRE X

Vouner avala sa salive. Les événements prenaient une tournure de plus en plus menaçante.

— Sorgun ! dit Hefner-Seton avec insistance. Vous ne vous en tirerez pas ainsi, vous le savez très bien.

— Taisez-vous ! cria le radio. Exécutez seulement mes ordres sinon je vous abats ! (Il s'adressa de nouveau à Vouner :) L'arme, Terrien !

Vouner leva le pied et poussa le fusil vers l'Arra. Le visage mauvais, Hefner-Seton suivait chaque mouvement. Sorgun ramassa l'arme de Vouner et se la passa en bandoulière.

— Ouvrez votre veste et lancez-moi l'activateur.

— Non ! intervint Hefner-Seton. Dès qu'il tiendra l'appareil il nous tuera tous les deux.

Vouner réfléchit fébrilement. Si l'Arra tirait sur lui, il risquait de détruire l'activateur en même temps. Mais il n'hésiterait pas si Vouner l'attaquait.

— Allez, vite ! insista Sorgun. Ne vous laissez pas influencer.

Vouner détacha la chaîne de son cou.

— Vous le regretterez ! cria Hefner-Seton d'une voix qui exprimait déjà la résignation.

Les regards de Sorgun allaient de l'un à l'autre, comme ceux d'un animal captif. Vouner prit l'activateur dans sa main et le soupesa pensivement. Il sentit les regards des deux astronautes posés sur cet objet d'apparence insignifiante, qui protégeait la vie de la maladie et du dépérissement cellulaire.

— Envoyez! croassa Sorgun.

Alors Vouner sut soudain ce qu'il avait à faire. D'un geste ultra-rapide, il jeta l'activateur à Hefner-Seton qui l'attrapa instinctivement. Sorgun poussa un cri furieux et tira. Mais d'un bond Vouner s'était déjà mis en sûreté.

Hefner-Seton tenta de sauver son bien inattendu mais Sorgun se précipitait déjà sur lui. Le cri d'avertissement de Vouner retentit. A cet instant, Sorgun ne savait plus ce qu'il faisait. D'un côté il souhaitait de toutes ses forces obtenir l'immortalité et d'un autre il devait pour cela, tuer son propre commandant. La partie de son cerveau qui fonctionnait encore logiquement lui disait qu'après un tel meurtre, il ne serait plus en sécurité sur aucune planète de l'Empire.

L'arme levée, Sorgun se tenait devant son commandant. Hefner-Seton serrait l'activateur sur sa poitrine. Vouner se risqua à un saut de derrière la façade rassurante de l'ordinateur.

Sorgun se retourna et voulut tirer sur le Terrien. Il reçut alors un coup de Hefner-Seton et tomba en avant. Vouner esquiva de côté et saisit l'arme de l'Arra. Il parvint à la lui arracher des mains. Il recula vivement d'un pas. Sorgun se retourna et tenta de prendre le fusil de Vouner qu'il portait toujours à l'épaule. Hefner-Seton voulut lui aussi atteindre l'arme mais Vouner surveillait attentivement le commandant et lui fit signe de reculer.

Sorgun dégagea le fusil et visa. Mais le Terrien était sur ses gardes. Il frappa l'homme à genoux, sur l'épaule. Sorgun tomba en arrière, un coup partit qui fit un trou dans le plafond. Hefner-Seton recula.

— Le fusil! ordonna Vouner.

Sa voix parut ramener l'Arra à la raison. D'un geste las, Sorgun jeta l'arme à Vouner. Sans quitter les deux astronautes des yeux, Vouner ramassa le radiant.

Sorgon se releva et son regard alla de Vouner au commandant.

— Pourquoi ne l'abattez-vous pas ? demanda Hefner-Seton.

— Il fait partie de l'équipage, dit Vouner sèchement.

L'Arra contempla l'activateur avec une certaine mélancolie.

— Posez-le par terre devant vous et reculez ensuite de cinq pas, ordonna Vouner. (Le commandant hésita.) Je ne souffre pas des mêmes complexes que ce type, l'avertit Vouner.

L'Arra lâcha l'activateur. Vouner attendit que l'autre se fût retiré puis il alla chercher l'appareil. Tout en se le passant au cou, il regarda brièvement l'écran.

— Vos hommes seront ici dans quelques minutes, rappela-t-il. D'ici là nous devrons avoir appareillé.

— J'ai déjà dit que c'était impossible, marmonna l'Arra.

Vouner leva son arme.

— Croyez-vous que je vais attendre que vos hommes ne viennent m'abattre comme un chien enragé ? Ou bien vous commencez dès à présent la manœuvre d'appareillage, ou vous ne verrez pas le retour de votre équipage.

— Je crois qu'il parle sérieusement, intervint Sorgun craintivement.

Hefner-Seton ne prêta pas attention au radio. Il s'affaira aux commandes.

— Que m'arrivera-t-il quand nous nous serons posés sur la Terre ? demanda-t-il.

— Je vous ferai arrêter, annonça Vouner. Vous avez tenté d'entrer illégalement en possession d'un activateur cellulaire. (Il fit signe au radio.) Allez, aidez-le !

Les deux Arras s'occupèrent des préparatifs d'appareillage. Avec impatience, Vouner observait l'écran.

— Hâtez-vous. En retardant le départ, vous vous portez préjudice. Dès que l'équipage surgira en bordure de forêt, je tirerai.

Hefner-Seton redoubla d'efforts. Des gouttelettes de sueurs perlèrent sur le front de Sorgun.

— Et n'essayez pas de me jouer un tour ! Accélérez raisonnablement. Sous une force d'accélération importante, votre corps souffrira autant que le mien. Quand vous reviendrez à vous, j'aurai déjà repris mon arme. Toute tentative de ce genre serait donc inutile.

— Prêt, murmura le commandant arra peu après.

— Décollez !

Il s'empressa de gagner un fauteuil, sans quitter les deux Arras des yeux. Hefner-Seton brancha le propulseur principal. Un tremblement parcourut le *Kotark* puis le navire s'éleva. Pendant quelques instants la coque de l'astronef fut enveloppée de nuages de fumée qui obscurcirent l'écran. Quand la vue s'éclaircit, ils avaient déjà pénétré dans la couche nuageuse.

Etourdi, Vouner s'appuya en arrière. Il avait réussi l'impossible. Au-dessous s'étendait Vélandre II. Il était en route pour la Terre. Rien ne pouvait maintenant l'arrêter. Son immortalité était assurée.

Trotin entendit le grondement soudain des propulseurs et s'arrêta net. Son visage devint livide.

— Le *Kotark* ! articula-t-il, incrédule.

— Ils partent sans nous ! Ils partent sans nous ! cria Goernas comme un fou en se précipitant dans la jungle.

— Trop tard, murmura Trotin. Tu ne rattraperas plus le navire.

Il poursuivit sa route lentement sans vérifier si les autres le suivaient. Son grand âge lui paraissait soudain peser plus lourd sur ses épaules. Quand ils sortirent dans la clairière artificiellement créée par la chute de l'*Olira*, le *Kotark* avait disparu. A proximité immédiate du lieu d'atterrissage, Goernas était agenouillé. Malsag éclata d'un rire bref.

Les Arras restèrent là, en silence. Au bout de quelque temps, tous les groupes revinrent. Ils trouvèrent le corps de Fertrik.

— Hefner-Seton et Sorgun ont appareillé seuls, dit Kruz le copilote du *Kotark*. Mais pourquoi ?

Jossat-Prug montra le cadavre de Fertrik.

— Voilà la réponse, dit-il. Pendant que nous faisions

la chasse au Terrien, celui-ci a atteint le *Kotark*. Il y a eu combat. Le Terrien se trouve vraisemblablement lui aussi à bord du vaisseau.

— Nous ne sommes pas plus avancés, intervint Trotin. Nous devons prendre notre parti de cette situation. Cette planète est sauvage et au début de son évolution. Il sera difficile de survivre.

— Pour quoi faire d'ailleurs ? demanda Malsag.

La déception, la haine et la colère avaient finalement conduit les hommes à la résignation. Trotin savait qu'il serait difficile de réveiller leur instinct de conservation.

— Vous êtes des lâches ! dit-il, méprisant. Après avoir pourchassé le fantôme de l'immortalité, votre petite vie se trouve-t-elle trop dénuée de valeur pour être encore préservée ? Soyez francs. L'instinct de conservation nous forcera tous à lutter ici pour continuer à vivre. J'espère que Hefner-Seton nous enverra un navire de sauvetage.

— Pour faire savoir qu'il est un criminel ? cria Kruz.

Trotin le regarda franchement.

— Avons-nous agi autrement que lui peut-être ? chacun de nous aurait tué le Terrien pour s'emparer de l'activateur. Ne serions-nous pas tombés à bras raccourcis sur Hefner-Seton si nous l'avions vu en possession de l'appareil ? J'affirme que c'est ce que nous aurions fait. Une malédiction est attachée à ces activateurs. Celui qui tombe sous leur charme devient une créature sans scrupules qui ne pense plus qu'à obtenir et à conserver l'immortalité.

— Voilà comment il se console de sa déception ! cria Goernas. Bientôt il nous racontera que l'immortalité est une mauvaise chose.

— C'est une chose anormale, dit Trotin. Elle ne devrait être offerte qu'à des hommes qui ont une vocation et sont guidés par une grande responsabilité.

— Comme vous par exemple, Trotin ? demanda Malsag ironique.

Le vieux Médecin secoua la tête.

— Non, je ne pourrais venir à bout de cette charge.

Aucun de nous ne le pourrait. Je vois un sens profond dans le fait que seuls vingt-cinq activateurs aient été dispersés. Peut-être que la créature spirituelle de Délos est consciente qu'il n'y a que vingt-cinq personnes à l'intérieur de la Galaxie appelées à échapper à la décrépitude cellulaire.

Trotin n'écouta pas plus longtemps les arguments adverses qui lui furent lancés. Il abandonna l'équipage indigné à lui-même. Tout en disparaissant parmi les débris du vaisseau terrien naufragé, il se demandait si ce Terrien qui avait trouvé l'activateur pouvait compter parmi ces vingt-cinq élus.

Trotin ne connaissait pas cet homme. Mais il laissait derrière lui une traînée de combats et de destructions, de haine et de violence. Etaient-ce là les caractéristiques qui rendaient un homme digne de l'immortalité ?

Trotin s'assit sur une pierre. Est-ce que chaque vie n'était pas une partie d'une immortalité insaisissable qui entourait l'univers entier ? Le vieil Arra ferma les yeux. Au cours de sa vie il avait accumulé l'expérience et le savoir.

Mais jamais ces choses n'avaient pu triompher de ses sentiments. N'avait-il pas capturé en lui une partie de l'immortalité, une partie spirituelle qui lui appartenait ?

Trotin eut un sourire de sage. Comment un petit appareil qui préservait les cellules du corps du dépérissement, pourrait-il jamais offrir une chose de même valeur ?

Cela avait été un long chemin pour en arriver à cette découverte.

Mais même alors elle pouvait fort bien n'être qu'un mensonge.

Aussi loin qu'il plongeât son regard en lui-même, Trotin ne savait s'il ne se mentait pas.

CHAPITRE XI

Plusieurs minutes après l'appareillage, Hendrik Vouner apprit que même un immortel ne peut résister longtemps à la fatigue. La chaleur à l'intérieur du poste central, le bourdonnement monotone des appareils et le confort de son siège faisaient qu'il s'endormait. Il savait que les deux Arras lui sauteraient dessus à l'instant même où il fermerait les yeux.

Le commandant l'observait discrètement. Ses regards n'échappaient pas à Vouner. Sorgun s'affairait sans discontinuer auprès de l'ordinateur pour calculer la route du *Kotark*. Vouner ne comprenait rien à toutes ces choses mais il ne croyait pas que face à sa détermination, les deux Arras prendraient le risque de le duper.

Finalement, Sorgun tendit au commandant, sans dire un mot, les données obtenues. Les deux Arras se dirigèrent vers la table de navigation tandis que le dispositif automatique pilotait le *Kotark* en toute sécurité.

— Quand atteindrons-nous la Terre ? demanda Vouner.

— Dans sept heures, répondit Hefner-Seton sans lever les yeux.

Vouner en fut effrayé. Il se demanda comment il pourrait rester éveillé encore sept heures. Il se leva et se dirigea vers l'écran de la détection spatiale.

— Allumez-le ! ordonna-t-il.

Comme le *Kotark* filait dans l'espace à plusieurs

dizaines de fois la vitesse luminique, le spectacle fut décevant pour Vouner. Il vit d'innombrables filaments : un effet dû à leur vitesse fantastique. Rien d'autre que de lointaines étoiles.

Il entendit alors Sorgun chuchoter quelque chose au commandant. Irrité, Vouner se retourna brusquement.

— Silence ! cria-t-il. Pas de messes basses. Si l'un de vous a quelque chose à dire, que ce soit à voix haute et en intergalacte.

— Pourquoi ne vendez-vous pas l'activateur à Rhodan ? demanda Hefner-Seton. Vous recevrez dix millions de solars, une somme que vous ne pourrez guère dépenser.

Vouner n'hésita pas à répondre. C'était le meilleur moyen de rester éveillé :

— Vendriez-vous l'appareil ?

Hefner-Seton eut un sourire énigmatique.

— Je vous en offre le double. Vendez l'activateur aux Médecins Galactiques et vous recevrez vingt millions de solars.

— L'appareil est invendable.

Le commandant regagna le siège de pilote.

— Comment vous imaginez-vous la vie d'un immortel, Terrien ?

— Je n'ai pas encore eu le temps d'y penser. (Le visage de Vouner se ferma.) Inutile de m'interroger à ce sujet.

En réalité, Hendrik Vouner ne pensait qu'à l'avenir qui l'attendait. Toutes ses pensées tournaient autour de l'immortalité. Il lui faudrait des semaines pour vaincre son bouleversement interne. Vouner ne sentait pas qu'il se transformait de plus en plus en un autre homme. Il était de plus en plus assujetti à l'influence de l'activateur. Impulsions et passions qu'il croyait avoir vaincues depuis longtemps, se réveillaient en lui. Et en même temps il subissait les premières attaques de la manie de la persécution. Il réfléchissait déjà à la manière dont sur la Terre, il pourrait se garder des jaloux. Devrait-il se procurer une garde personnelle ou se mettre sous la protection du gouvernement ? Tôt ou tard il aurait assez d'argent pour se construire une maison sûre. Alors il pourrait se reposer aussi longtemps que bon lui semblerait. Il pourrait s'abandonner sans retenue à cette grande lassitude...

Sorgun lui sauta dessus. Instinctivement, Vouner sentit ce mouvement et ouvrit les yeux. L'Arra était presque sur lui. Vouner saisit son fusil par le canon et frappa de toutes ses forces. Sorgun fut touché à la poitrine et poussa un cri.

— En arrière ! cria Vouner en se levant d'un bond. En arrière ou je tire !

Le visage déformé par la douleur, le radio retourna à sa place.

— Ne recommencez pas ! cria Vouner d'une voix menaçante. J'ai le sommeil léger.

Hefner-Seton jeta un regard méprisant à son opérateur radio et lui demanda :

— Pourquoi n'avez-vous pas attendu encore un peu ?

— Désormais je tire sur quiconque quitte sa place sans en avoir d'abord demandé l'autorisation, dit Vouner.

L'incident l'avait complètement réveillé. Le visage sombre, il observa les deux Arras au travail. Au bout d'un moment il se mit à faire les cent pas dans le poste de commandement.

Le temps passait avec une lenteur indicible. Irrésistiblement, le *Kotark* fonçait vers son objectif lointain. Derrière ses parois d'acier, trois hommes qui étaient au fond des ennemis acharnés, s'épiaient. Entre Hefner-Seton et Sorgun il régnait seulement une trêve qui cesserait à l'instant même où l'un des Arras parviendrait à vaincre Vouner.

— Vous faut-il aller et venir sans cesse ? cria Sorgun au bout d'un moment.

— Oui.

La nervosité des hommes ne cessait de croître. Bientôt ils ne tiendraient plus compte du danger et attaqueraient Vouner. Du moins Sorgun qui pouvait à peine se dominer.

La détection spatiale transmettait toujours la même image. Vouner se mit à compter ses pas. Arrivé sur la Terre, il ne serait pas difficile de prouver qu'il était le possesseur légal de l'activateur. On lui offrirait dix millions de solars mais on ne le contraindrait jamais à remettre l'activateur.

Vouner ignorait combien de temps s'était écoulé quand Hefner-Seton lui montra une petite étoile jaune sur l'écran.

— Voici Sol, Terrien !

Vouner en trembla de soulagement. Il se fit donner par le commandant de la nourriture concentrée. La faim était bon signe. Son corps tendu recommençait à réagir normalement. Ses yeux rougis regardaient l'écran fixement.

C'était Sol, l'étoile berceau de l'humanité. En tant qu'immortel, il verrait le soleil encore souvent. Une idée grisante. Vouner n'avait jamais senti avec tant de force qu'en cet instant, la puissance que lui donnait l'activateur.

— Nous devons envoyer un message radio, lui parvint la voix de Hefner-Seton au milieu de ses pensées.

— Pour quoi faire ? demanda Vouner d'un ton bourru.

— Pour rassurer vos prudents congénères, se moqua l'Arra. Pensiez-vous peut-être que nous pourrions atterrir sur Sol III sans traverser le système de contrôle sophistiqué qui entoure le Soleil ?

Vouner réfléchit un instant.

— Ne parlez pas de l'activateur, ordonna-t-il. Annoncez le *Kotark* comme un navire de recherche médicale qui veut atterrir sur Sol III pour échanger des informations.

— On aura percé ce mensonge au plus tard lors de notre atterrissage.

— Vous avez sans doute raison, concéda Vouner.

J'aimerais seulement éviter qu'un quelconque commandant de patrouilleur ne soit informé de l'activateur.

L'Arra éclata de rire.

— Vous avez peur qu'au dernier moment on ne vous enlève l'appareil, hein ? demanda-t-il, ironique.

Vouner fut fâché que l'Arra ait deviné ses pensées. Méfiant, il surveilla Sorgun qui manipulait l'appareil radio.

— Pourquoi n'y a-t-il pas de transmission d'images ?

— Interrogez donc vos amis, l'invita Sorgun irrité. Pensez-vous que l'on va libérer un canal pour un petit navire arra ?

En tant que profane, Vouner ne pouvait décider si on lui mentait ou non. Mais il se dit que Sorgun ne se risquerait plus à lui jouer un tour à proximité de Sol.

Au bout de quelque temps, le radio présenta au Terrien une bande avec des symboles incompréhensibles pour Vouner.

— Autorisation d'atterrissage, grogna-t-il.

L'impression qu'on le dupait ne cessait de croître en Vouner.

— Si quelque chose tourne mal, je vous abats !

Le doute le harcelait. Pourquoi les Arras ne faisaient-ils rien pour s'opposer à ses ordres ? Etaient-ils si sûrs de pouvoir encore le tromper ?

— Là-bas ! dit Hefner-Seton en montrant l'écran. La Terre !

Vouner vit une petite boule verte surgir sur l'écran. Elle grossit rapidement. Vouner croyait déjà pouvoir distinguer des océans et des continents.

Cette vue l'ébranla au plus profond de lui-même. Il n'avait jamais vraiment cru qu'un jour il reposerait le pied sur le sol terrien. Pendant un bref instant, il redevint l'ancien Hendrik Vouner, il échappa pour quelques secondes à l'influence maléfique de l'activateur. En cet instant il n'était rien d'autre qu'un Terrien rentrant au pays, un homme solitaire pouvant à peine maîtriser sa joie.

Mais ensuite il ferma ses pensées à toute sentimenta-lité. Il était Hendrik Vouner l'immortel.

Un peu plus tard, Sorgun envoya d'autres messages radio, tous rédigés en symboles incompréhensibles.

— Pourquoi ne vous entretenez-vous pas avec les stations au sol?

— Avec des robots? (Sorgun haussa les épaules.) Toutes les stations sont entièrement positoniques. Des Terriens n'y sont envoyés que pour des cas particuliers. Les robots nous ont déjà catalogués depuis longtemps comme inoffensifs et se chargent de nous conduire en toute sécurité sur l'astroport.

Cela semblait logique. Et pourtant Vouner ne se sentait pas complètement rassuré. Un sentiment de malaise lui disait que quelque chose n'allait pas.

Quelques minutes plus tard, le *Kotark* pénétra dans les couches supérieures de l'atmosphère.

— Etes-vous très fier, maintenant? s'enquit Hefner-Seton. Chose étrange, sa voix n'exprimait aucune ran-cœur. Apparemment il s'était résigné à sa défaite.

Vouner ne lui répondit pas. Son agitation crût. Comment allait-on le recevoir sur la Terre? Allait-on le fêter ou le condamner?

Vouner excluait qu'on puisse l'expulser. C'était un homme de la rue qui avait réussi à tirer le gros lot. Cela le rendrait populaire. Il deviendrait un héros national.

Son regard tomba sur l'écran. Il pouvait voir une partie du terrain d'atterrissage. Il s'étonna que tout se déroulât aussi facilement. Les dispositifs positoniques de téléguidage de Sol III étaient-ils vraiment infailli-bles? Avait-on contrôlé le *Kotark* sans que les trois hommes ne s'en soient aperçu?

Vouner était rongé par les doutes. Quelque chose n'allait pas. Mais il ne pouvait trouver la preuve d'une trahison des deux Arras.

Le *Kotark* descendait peu à peu vers l'aire d'atterris-sage. C'était tout ce qui comptait.

Hefner-Seton sortit les étançons. Aussitôt après, le navire cylindrique toucha le sol.

Le commandant se leva.

— Vous êtes chez vous, dit-il à Vouner.

— Vous ne quitterez pas cette salle, ordonna le Terrien. Si vous essayez de vous enfuir avec votre navire, je ferai ordonner que l'on vous tire dessus. (Il se dirigea vers la sortie.) Ouvrez le sas. J'aimerais sortir.

Vouner fit brusquement demi-tour et quitta le poste de commandement. Il parcourut en courant la longue coursive conduisant au sas. Quand il atteignit celui-ci, l'Arra l'avait déjà ouvert. L'air frais frappa Vouner. Il prit une profonde inspiration et s'arrêta.

La passerelle fut sortie. Lentement, Vouner descendit.

Alors il regarda autour de soi. Le *Kotark* ne s'était pas posé directement sur l'aire d'atterrissage mais en bordure. A l'arrière-plan, Vouner vit d'autres vaisseaux cylindriques. De l'autre côté, un gigantesque parc s'étendait devant lui.

Alors Vouner comprit que son pressentiment ne l'avait pas trompé.

— Vous êtes tombé dans notre piège, Terrien ! dit à cet instant la voix de Hefner-Seton depuis la passerelle.

Vouner se retourna et vit l'Arra descendre lentement vers lui.

Le commandant fit un geste d'invitation.

— Bienvenue sur Arralon, la planète des Médecins Galactiques !

La haine, la déception et une lassitude infinie transformèrent le visage de Vouner en un masque rigide. Il leva son fusil et le pointa sur Hefner-Seton.

— Je n'abandonne pas, dit-il d'une voix atone. Retournez dans le navire avant que je ne perde le contrôle de moi-même.

Hefner-Seton rit.

— Vous voulez fuir, Terrien ? Bon, très bien, partez. Mais n'oubliez pas qu'une planète entière va vous pourchasser. Dès que l'on saura que vous portez un activateur, tous seront à vos trousses. On vous pourchassera sans pitié. Vous ne trouverez aucun ami, aucun repos, aucun refuge.

Le grand et maigre Arra fit demi-tour et disparut dans le sas.

Vouner leva les yeux vers le soleil qui n'était pas le sien.

Puis il se mit à courir vers le parc proche, aussi vite que le lui permettaient ses jambes fatiguées.

DEUXIÈME PARTIE

CHAPITRE PREMIER

Darfass était habitué à ce que ses clients viennent dans sa petite boutique le soir tard, quand le parc était déjà plongé dans une profonde obscurité. Dans la journée, le marchand était assis près du petit poêle atomique, derrière le comptoir, et entre ses paupières mi-closes il observait les passants. De temps en temps il saisissait une feuille de moroun et la fourrait dans sa bouche édentée.

Darfass était un homme âgé, gros, rusé, de sang-froid et doté d'un instinct génial pour les bonnes affaires. Sa boutique n'avait rien de moderne et ne faisait aucune publicité. L'entrée était fermée par un rideau de velours usé et troué de partout. Dans la vitrine se trouvait un antique thermoradiant de fabrication terrienne, au fût gravé de marques énigmatiques. Un tapis usé dont la couleur d'origine avait disparu sous une couche de poussière, formait l'arrière-plan. Près du radiant il y avait encore un épieu en ivoire soi-disant véritable.

Darfass dupait régulièrement ses clients qui le savaient mais le supportaient sans rien dire car il était le seul marchand sur Arralon à vendre des pouners. Cela mis à part, Darfass était également trompé par ses fournisseurs. Nul ne savait à quel point il était riche. On ne le voyait jamais vêtu autrement que de son pantalon négligé sur lequel pendait une chemise informe.

Ce matin-là, Darfass cligna des yeux, surpris, quand un homme pénétra dans sa boutique et pointa une arme à canon long sur son ventre. L'homme paraissait tombé bien bas, ses vêtements étaient sales et déchirés. Tandis que d'une main il pointait le fusil sur Darfass, de l'autre il ferma soigneusement le rideau de velours. Il respirait difficilement, comme s'il avait couru sur une longue distance. Darfass écarquilla les yeux. L'intrus était un Terrien.

L'étranger examina Darfass.

— Etes-vous seul ? demanda-t-il en intergalacte.

— Vous pouvez vérifier. Dans la pièce du fond vous ne trouverez qu'un coin pour dormir.

Le Terrien regarda dans le parc par-dessus le bord de la vitrine comme s'il s'attendait à être suivi. Darfass restait dans l'expectative. Il ne savait pas encore comment se comporter vis-à-vis de cet homme.

— Fermez votre magasin, ordonna l'intrus.

Darfass se leva, se dandina vers l'entrée et accrocha le rideau de velours d'un côté. Il grimaça en s'excusant.

— Je n'ai hélas pas d'autre possibilité. La boutique est ouverte en permanence.

— Accrochez une pancarte dehors indiquant que vous êtes soudain tombé malade. Je ne tiens pas à être dérangé par l'un de vos clients.

Darfass alla derrière le comptoir et sortit une feuille de papier. Puis il écrivit en torguich : « Aujourd'hui offres exceptionnelles ».

L'étranger le regarda faire attentivement. Puis quand Darfass voulut sortir avec la feuille, il sentit la main de l'homme sur son épaule. Le papier lui fut enlevé. Le Terrien le déchira en petits morceaux.

— Récrivez-le en intergalacte.

Darfass haussa les épaules et refit une nouvelle feuille.

— Voulez-vous me dévaliser ? demanda-t-il calmement.

Un signe avec l'arme lui fit comprendre qu'il devait se hâter. Darfass accrocha la pancarte dans sa vitrine.

— Où entreposez-vous votre marchandise ?

Devant l'arme et la méfiance de l'homme, le marchand comprit qu'un mensonge serait absurde. Il ouvrit la trappe derrière le comptoir et montra un puits obscur.

— Peut-on fermer d'en bas ?

Darfass inclina la tête. Il pensa au millier de pouners qu'il avait là en bas. De quelle manière le Terrien voulait-il les faire sortir de la boutique ? Et avant tout, que voulait-il donc en faire ?

— Prenez une lampe et passez devant.

Darfass jeta un regard pleurnicheur dans le parc mais aucun des passants n'accorda un seul coup d'œil au magasin. Aucun Arra ne risquerait sa réputation en entrant de jour dans la boutique de Darfass. Le marchand saisit le chandelier nucléaire et descendit devant l'étranger.

Le Terrien attendit que Darfass ait soigneusement fermé. Il vérifia personnellement la serrure. Les pouners se mirent à gémir doucement.

— Qu'est-ce que c'est que ça ?

Ahuri, Darfass le regarda fixement. Que voulait donc cet homme ? Ne savait-il pas que Darfass faisait le commerce de pouners ?

— Des pouners. Ils se sentent dérangés.

Il éclaira des rangées entières de cages qui hébergeaient de petits animaux aux yeux bleus et à la queue touffue.

— Allez chercher une corde ! ordonna l'homme maigre d'une voix lasse.

Le marchand hésita. Il commençait à deviner qu'il s'agissait là d'autre chose que du vol de quelques-uns de ces petits animaux au statut d'espèce protégée.

Le visage de l'étranger se durcit. Ses yeux exprimèrent une détermination infinie.

Darfass s'empressa d'obéir. En silence, le Terrien prit la corde que Darfass était allé chercher. Puis il montra une chaise.

— Asseyez-vous.

Darfass n'avait d'autre solution que d'obtempérer.

L'homme l'attacha à la chaise. Il le ligota si bien qu'il ne pouvait plus guère bouger.

— Si vous criez, vous mourrez, le menaça cet homme mystérieux. Il alla chercher quelques sacs et des bouts de tissu, les étendit sur le sol et s'y allongea.

Ahuri, Darfass le vit s'endormir quelques secondes plus tard. A la faible lueur du chandelier il pouvait examiner le Terrien. L'homme était grand et épuisé. Ses vêtements n'étaient plus que des haillons. Les yeux étaient profondément enfoncés dans les orbites et une barbe de plusieurs jours lui couvrait le visage.

Darfass décida de s'accommoder pour l'instant de la situation. Sa vie ne semblait pas menacée s'il ne s'opposait pas aux ordres de l'homme. La corde mordait profondément sa chair. Il lui faudrait des heures pour se remettre quand il aurait été libéré.

Les pouners se calmèrent peu à peu. Le silence revint dans leurs cages. Darfass tenta lui aussi de dormir mais ses regards revenaient constamment sur le Terrien. Qui pouvait-être cet homme et quel but poursuivait-il ? D'une chose Darfass était certain : l'homme était en fuite. Mais devant qui fuyait-il ?

Le marchand grava alors dans sa mémoire les traits de l'homme endormi pour pouvoir le reconnaître immédiatement plus tard. Il découvrit alors la fine chaînette au cou de son agresseur.

Patiemment, Darfass attendit que l'homme bouge dans son sommeil afin de voir ce qu'il portait autour du cou. Peut-être s'agissait-il d'une amulette. Le Terrien dormait profondément mais de temps à autre, son corps tressaillait. Ses nerfs avaient dû être soumis à une tension permanente.

Au bout d'un très long moment, le Terrien se tourna et un objet métallique ovale sortit de sa veste déchirée.

Un regard suffit à Darfass pour savoir ce que cet homme portait autour du cou. Un activateur cellulaire !

Le cœur de Darfass battit plus fort. Sa découverte était tellement énorme qu'il croyait rêver. Darfass était un homme âgé mais dans sa boutique miteuse convergeaient des informations en provenance de nombreuses planètes. Toutefois Darfass n'avait jamais entendu dire qu'on avait trouvé un activateur. Ce n'était pas étonnant avec seulement vingt-cinq appareils pour toute une galaxie.

Et maintenant, un Terrien totalement épuisé était couché à cinq mètres de lui et dormait, un activateur au cou. Cela faisait des années que le marchand n'avait ressenti un tel émoi. Ses pensées tourbillonnaient et élaboraient les plans les plus audacieux pour acquérir ce précieux appareil.

Darfass lutta contre ses liens mais l'étranger l'avait attaché si solidement qu'à chaque mouvement il ne faisait que resserrer la corde. Le vieux chercha à comprendre ce qui avait conduit cet homme dans sa boutique.

Il ne faisait aucun doute que le Terrien était en fuite. Qui était à sa poursuite ? Des agents de Perry Rhodan ? Des troupes de l'Empire ? Des Arras ? Il dépendait vraisemblablement de la personnalité des poursuivants qu'ils découvrent la cachette ou non. Si les mutants légendaires de Rhodan étaient en jeu, cet homme n'avait pas la moindre chance. Comme il était arrivé jusqu'à la boutique de Darfass, le marchand doutait que des espers ne participent à la chasse. Comme Rhodan aurait recours à ses éléments d'élite pour rechercher un activateur, Darfass pouvait supposer que le Stellarque ignorait encore tout de cet homme. Un sentiment infaillible lui disait qu'ils étaient vraisemblablement peu nombreux à être au courant de l'existence de l'appareil. Et ceux-là éviteraient tout ce qui était susceptible d'élargir le cercle des initiés car alors le nombre des prétendants à la vie éternelle augmenterait forcément.

En cet instant, un nouveau concurrent était assis, ligoté sur sa chaise, dans la cache souterraine de la boutique. Darfass devrait déployer toute sa ruse pour tromper cet homme. Au cours des dernières années, la vue du marchand s'était détériorée, les veines de ses jambes avaient enflé et il devenait de plus en plus lent. En clair, le vieillesse s'installait rapidement.

En dépit de toutes les facultés des Médecins Galactiques, Darfass mourrait dans quelques années. Jusqu'a-lors il s'était accommodé de cette idée. Le commerce des pouners lui procurait une certaine satisfaction.

Mais à l'instant même où il décida de voler l'activateur, c'en fut fait de sa pondération. Il estima que le Terrien ne devrait plus quitter sa boutique.

Tôt ou tard, Darfass serait de nouveau assis près de sa vitrine, regardant le parc en clignant des yeux jusqu'au moment où le soir et ses clients viendraient. Ils le traiteraient avec l'indulgence que l'on témoigne à l'égard des hommes âgés. Et quand tous ces gens seraient morts, lui, Darfass, serait toujours en vie.

Les nerfs tendus, le marchand guettait la respiration du dormeur. Avant que le fugitif ne se réveille, il devait avoir mis au point un bon plan.

Hendrik Vouner ne se doutait pas des pensées de son prisonnier. Il dormait du sommeil profond et sans rêves que seuls des hommes complètement épuisés peuvent avoir.

CHAPITRE II

Trois petites voitures rouges arrivaient à vive allure sur le vaste terrain d'atterrissage. Derrière elles venait le véhicule de lutte contre l'incendie. L'équipe de robots était accrochée sur les côtés, prête à sauter.

— Les voici, murmura Sorgun en venant se placer près de Hefner-Seton.

Le commandant regarda en arrière vers le sas ouvert du *Kotark*. Son second regard fut pour le parc où le Terrien avait disparu moins de trois minutes plus tôt.

— Ils vont vouloir toute une série d'explications, dit Sorgun d'un air sombre. Ils vont nous demander pourquoi le *Kotark* ne s'est pas posé à l'endroit prévu. Ils vont nous demander où sont restés les hommes d'équipage et les scientifiques. Ils voudront savoir…

— Ils ne nous trouveront plus, l'interrompit Hefner-Seton. Si nous attendons d'être emmenés, ils nous soutireront vite l'histoire de l'activateur. Et c'en sera fini de notre chance de récupérer l'appareil. Nous disparaissons nous aussi. Peut-être parviendrons-nous à trouver le Terrien.

— On va envoyer un commando de recherches. Le navire vide va leur donner du fil à retordre.

Le grand Arra n'avait pas entendu la fin de la phrase de Sorgun car il était déjà parti en courant. Sorgun se mit en route lui aussi. Il rattrapa le commandant en lisière du parc. Ils se cachèrent derrière un buisson et observèrent les voitures robots qui atteignaient le *Kotark.*

Apparemment, les robots ne savaient que faire avec ce navire jusqu'au moment où une impulsion de téléguidage leur fit monter la passerelle.

— Que va-t-il se passer maintenant ? demanda Sorgun, méfiant.

Hefner-Seton se passa la main sur son crâne chauve. Son visage émacié n'exprima qu'une raillerie méchante.

— Il leur faudra au moins cinq minutes pour se remettre de leur surprise. Ils suivent maintenant les images télévisées que les robots transmettent depuis le *Kotark.* Quand ils auront constaté qu'il n'y a personne à bord, ils vont appeler le Conseil des Médecins. Finalement quelques spécialistes monteront dans le *Kotark.* Il s'écoulera au moins une heure avant que l'on ne se mette à notre recherche. Ils vont chercher tout l'équipage car par radio nous avons seulement annoncé le retour du *Kotark.* Cela compliquera leur tâche.

Sorgun tremblait d'énervement et de peur. Dans ses yeux se reflétait la lutte intérieure entre la convoitise de l'activateur et le désir de se rendre. Hefner-Seton comprit qu'à la longue l'opérateur radio constituerait un danger pour lui. C'était principalement de la faute à Sorgun si le Terrien avait réussi à leur faire piloter le *Kotark* jusqu'à l'atterrissage selon sa volonté. Seule l'astuce de Hefner-Seton consistant à conduire l'homme sur Arralon, les avait sauvés. Pour un profane, Sol III et Arralon se ressemblaient depuis l'espace. Quand le Terrien avait cru son activateur en sûreté, il avait dû constater qu'il était tombé dans un piège.

Mais Hefner-Seton n'avait pas l'intention de renoncer à s'emparer de l'activateur. S'il avait attendu les officiels à bord du *Kotark*, il serait certes sorti sans encombres de cette affaire mais une gigantesque armée de robots, spécialistes et soldats aurait verrouillé hermétiquement les environs et aurait capturé le Terrien en peu de temps. En évitant que le Conseil des Médecins n'apprenne l'existence d'un activateur sur Arralon, Hefner-Seton gardait une chance de récupérer l'appareil.

Mais c'eût été une erreur d'emmener Sorgun. L'homme était bourré de complexes. Il représentait un obstacle.

Hefner-Seton écarta le feuillage et regarda encore une fois vers l'astroport.

— Il vaut mieux que nous nous séparions maintenant, dit-il.

Sorgun secoua craintivement la tête. Ses regards errèrent alentour et s'arrêtèrent finalement sur le commandant.

— Avez-vous peur? demanda Hefner-Seton, méprisant.

— Nous ne sommes pas armés, murmura Sorgun. Que ferons-nous si nos poursuivants nous rattrapent?

— Procurez-vous d'autres vêtements, les plus discrets possible. Le Terrien va certainement tenter de gagner Doun où se trouve la base de l'Empire.

Sorgun eut un sourire crispé.

— Doun est de l'autre côté du grand océan. Comment un homme seul pourrait-il l'atteindre?

D'un geste, Hefner-Seton balaya les objections de son compagnon.

— Il est bien venu de Vélandre II à Arralon, ne l'oubliez pas.

Ils se turent car un Arra passait tout près de là. Hefner-Seton attendit que le promeneur ait disparu, puis il quitta le buisson.

— Alors en route, ordonna-t-il. Vous disparaissez dans cette direction, je continue à courir par ici.

Sorgun partit à toute vitesse sur le gazon soigné. Peu après il disparut aux regards de son ex-supérieur. Hefner-Seton poussa un soupir de soulagement. Maintenant il pouvait s'occuper du Terrien.

L'Arra tenta de se mettre à sa place. De quel côté se serait-il tourné? Le détenteur de l'activateur était étranger sur Arralon, son environnement devait lui paraître insolite et dangereux. Le fugitif ne savait vraisemblablement pas encore qu'une grande partie des villes était en sous-sol. Un tiers de la planète était complètement évidé. La surface était le plus souvent couverte de parcs gigantesques.

Mais tout d'abord, Hefner-Seton avait besoin d'une arme. Le fugitif n'hésiterait pas à se servir de la sienne dès qu'il constaterait qu'une vieille connaissance était à ses trousses.

Hefner-Seton attendit que le chemin qui traversait le parc fût désert puis il sortit du buisson. De sang-froid il suivit le chemin. Les robots traînaient encore dans le *Kotark* pour résoudre l'énigme de l'équipage disparu. Peut-être que des spécialistes étaient déjà en route mais eux aussi devraient d'abord attendre la décision du Conseil des Médecins qui n'était certainement pas encore informé.

Il vint soudin à l'esprit de Hefner-Seton qu'il pouvait se procurer une arme ici, à proximité, dans une vieille boutique où l'on faisait soi-disant la contrebande de pouners. Hefner-Seton se souvenait d'avoir vu un vieux radiant en vitrine, un jour où il était passé devant. Il accéléra l'allure. S'il ne se montrait pas mesquin à l'égard du vieux, celui-ci garderait le silence.

Quelques minutes plus tard, il atteignit la boutique. Au-dessus de l'entrée était accrochée une pancarte avec le nom du marchand. Darfass, lut Hefner-Seton. Ensuite il regarda la vitrine et vit la note disant que le magasin était fermé pour cause de maladie. A côté était posé le thermoradiant.

Aux aguets, l'Arra regarda autour de soi. Il n'y avait personne à proximité. Le rideau de velours devant l'entrée était seulement légèrement accroché. Hefner-Seton ouvrit et entra rapidement. Une odeur de renfermé l'assaillit. Il n'y avait personne. L'Arra se rendit dans la pièce du fond. Une couchette négligée en était pratiquement le seul aménagement. Hefner-Seton se dirigea vers le lit et y posa les mains. Il était glacé. Le réchaud de cuisine semblait lui aussi inutilisé depuis longtemps. Seul le poêle atomique dans le magasin fonctionnait mais c'était absolument sans signification car ces appareils brûlaient longtemps sans aucun entretien.

Indécis, Hefner-Seton s'arrêta derrière le comptoir. Y avait-il ici une autre pièce bien dissimulée ?

— Darfass ! cria l'Arra. Darfass, où vous cachez-vous ?

Pas de réponse. Hefner-Seton tendit l'oreille un moment puis il se dirigea vers la vitrine et prit le radiant. Sa déception fut grande en constatant que l'arme n'était plus utilisable. Irrité, il la jeta par terre.

Au mur était accrochée une cape décolorée. Hefner-Seton ôta la sienne, la roula en un petit paquet qu'il s'attacha à la ceinture. Plus tard il l'enterrerait. Il décrocha le vieux vêtement et le mit.

Il regarda une dernière fois autour de soi, puis il quitta la boutique.

Il était vraisemblablement inutile et dangereux de chercher le Terrien ici d'autant plus qu'il devait lui-même disparaître de la région. Tôt ou tard, l'homme découvrirait que son seul espoir de sécurité était à Doun. Il essaierait d'atteindre la base de l'Empire.

Cela signifiait qu'à un moment quelconque il surgirait à Pasch, la ville côtière. Mais avant qu'il n'arrive là-bas, Hefner-Seton l'y attendrait déjà.

Depuis l'astroport, des sirènes d'alarme lui parvinrent. Des passants s'arrêtèrent et regardèrent alentour d'un air interrogateur. Hefner-Seton accéléra l'allure. Il était maintenant hors-la-loi mais il ne s'en souciait pas.

Il poursuivait le porteur d'un activateur cellulaire. Tout le reste était sans importance. Il pensa faiblement à Sorgun qui rampait maintenant craintivement dans les buissons.

Tout juste une heure plus tard, Hefner-Seton atteignit l'extrémité du parc. Une bande transporteuse le conduisit en bas à Forungs, la grande ville souterraine près de l'astroport. Maintenant il était un Arra parmi plusieurs milliers.

CHAPITRE III

Quand Hendrik Vouner s'éveilla, son premier geste fut pour l'activateur. Ensuite seulement il porta son attention sur le marchand. Le vieil homme l'observait avec un mélange de peur et d'intérêt. Vouner cacha l'activateur sous sa veste déchirée et se leva. Même pendant son profond sommeil, son subconscient avait souffert à l'idée qu'il puisse perdre l'activateur.

— Détachez-moi, réclama Darfass. J'ai les membres complètement exsangues.

Vouner haussa les épaules et se dirigea vers l'homme ligoté. Il défit rapidement la corde. Darfass remua prudemment. En gémissant doucement il se leva et s'écroula aussitôt sur la chaise.

— Massez-vous un peu les jambes, lui conseilla Vouner.

Darfass lui jeta un regard mauvais. Le Terrien se dirigea vers la lampe et la leva. Il éclaira le marchand en plein visage. Aveuglé, Darfass ferma les yeux.

— Vous avez naturellement vu l'activateur, n'est-ce pas ? demanda Vouner.

Darfass se mit les bras devant le visage en geste de protection. Quelques pouners s'éveillèrent et grognèrent d'indignation.

— Allez-vous me tuer à cause de ça ?

— Ça dépend. (Un sourire triste apparut sur le visage de Vouner.) J'ai besoin de quelques renseignements.

Darfass commença à se masser les cuisses. Il devait se pencher fortement en avant car son ventre le gênait.

— Posez vos questions, Terrien.

— Comment faire pour atteindre au plus vite la base de l'Empire ?

Darfass interrompit son massage et incrédule se redressa. Les rides de son visage usé se tordirent d'un air railleur.

— La base de l'Empire est à Doun. Et Doun se trouve de l'autre côté du grand océan.

Vouner ne s'était pas attendu à cela. A seulement quelques kilomètres de l'astroport, il apprenait que son objectif était à une distance pratiquement infranchissable, sur un autre continent. Il lui fut difficile de retenir sa déception.

— A quelle distance de la côte est-on ?

Cette fois-ci Darfass resta debout quand il se releva.

— N'essayez pas d'atteindre Doun... c'est insensé.

— Navigue-t-on sur l'océan ?

— Non. Le long de la côte il y a bien quelques bateaux de plaisance mais avec eux vous ne pourrez atteindre Doun. Tout le trafic à destination de Doun se déroule par voie aérienne. Par ailleurs à Pasch il y a une station de transmetteur pour les gens particulièrement pressés. Mais le prix du transport est très élevé. En outre il vous faudrait justifier de votre identité.

— Il me faut de nouveaux vêtements. Pouvez-vous m'aider ?

Darfass le regarda en réfléchissant.

— Pourquoi le ferais-je ? Vous m'avez maltraité sans raison.

Vouner leva son fusil.

— Je peux vous y forcer !

Darfass prit une décision soudaine.

— Je vais vous aider à gagner Pasch. Certes c'est de la folie mais j'en attends une bonne affaire.

Aussitôt, la méfiance s'éveilla en Vouner. Il éclaira le vieux pour voir l'expression de son visage. Darfass souriait d'un air rusé.

— Je vous accompagne, annonça-t-il.

— Vous ? laissa échapper Vouner, ahuri.

Le marchand projetait vraisemblablement de lui jouer un tour.

Pourtant Darfass inclina la tête, insouciant.

— Sans guide expérimenté, vous n'atteindrez jamais Pasch.

De la main droite, Vouner montra le plafond de la pièce souterraine.

— Tôt ou tard, toute la planète va me pourchasser car quelques astronautes savent que je porte un activateur. Vous devez bien avoir une raison valable pour vous exposer à ce danger ?

Darfass se tapota amoureusement le ventre. Il regrettait de ne pas avoir de feuille de moroun à mâcher. Le jus de ces feuilles avait un effet stimulant.

— C'est précisément le danger qui m'incite à vous accompagner. Je compte bien qu'il vous arrive quelque chose à un moment ou à un autre.

— Vous auriez ainsi le champ libre pour prendre l'activateur. C'est donc cela qui vous pousse !

Darfass opina de la tête. Tout en faisant le plein de nourriture dans quelques cages, il dit :

— Si nous réussissons, contre toute attente, vous auriez alors à me payer une récompense fort sympathique.

Vouner le regarda avec mépris.

— Vous veillerez sans doute à ce qu'on n'en vienne pas là !

— C'est le risque que vous devez courir !

En Vouner s'affrontaient deux opinions. Sa méfiance fondamentale lui faisait refuser la proposition du marchand tandis que sa raison le poussait à accepter le plan. La chance d'atteindre Pasch, sans parler de Doun, sans aucune aide était si faible qu'il devait accepter ce risque.

— Bon d'accord, grogna-t-il de mauvaise grâce. Mais n'oubliez pas que je ne vous quitterai jamais des yeux. Je vais imaginer quelques précautions pour diminuer le risque d'une trahison. S'il me faut tirer pour me défendre, le premier coup sera pour vous.

Darfass sortit un pouner et le caressa doucement. Le petit animal se pressa contre sa poitrine et ronronna de satisfaction. Le marchand donnait une image paisible de lui-même mais ses petits yeux parlaient un tout autre langage. Vouner n'était pas particulièrement psychologue mais il savait que le seul objectif de Darfass c'était l'activateur. Le marchand interrompit ses réflexions.

— Je vous procurerai des vêtements discrets. Peut-être pourrai-je dénicher une carte d'identité correspondant à peu près à vos caractéristiques. Cela durera quelque temps car il me faudra agir avec prudence.

La méfiance de Vouner réapparut.

— Où serai-je pendant ce temps?

— Ici! Dans cette cave personne ne vous trouvera.

— Jusqu'à ce que les soldats que vous aurez prévenus ne surgissent pour m'arrêter!

Vouner secoua la tête.

Le marchand remit le pouner dans sa cage. Vouner attendait qu'il dise quelque chose mais Darfass gardait le silence. Vouner comprenait de plus en plus qu'il s'était mis dans une fâcheuse situation. S'il ne pouvait faire un effort sur lui-même et accorder une certaine confiance au vieux, il était coincé dans cette pièce souterraine. Son seul objectif c'était d'atteindre, avec l'activateur, la base de l'Empire sur Arralon.

— Allez! dit-il brusquement. Ramenez des vêtements et tout le reste.

Très lentement, comme s'il craignait que Vouner ne changeât encore d'avis, Darfass passa devant le Terrien en évitant de le regarder et se dirigea vers l'escalier. Dans les cages, les pouners éveillés manifestèrent par un grognement grave, leur déception de voir leur propriétaire partir.

— Eclairez que je puisse voir la serrure, cria Darfass.

Vouner leva la lampe, le faisceau lumineux tomba sur la grosse silhouette du marchand. La trappe fut ouverte et une lumière crépusculaire pénétra dans la pièce.

Darfass s'élança aussitôt dehors. Avec un claquement, la trappe se rabattit.

Vouner monta l'escalier à toute allure et pesa de ses épaules contre la trappe.

Darfass l'avait verrouillée. Dans une colère folle, Vouner leva son fusil radiant pour se libérer.

Un petit guichet s'ouvrit alors et le visage ridé de Darfass apparut.

— Cessez cette comédie, cria-t-il à Vouner. Si je ne vous enferme pas, vos nerfs craqueront et vous ferez des folies.

L'arme dans les mains de Vouner trembla. Ici en bas, c'était le piège idéal. Darfass ferma la fenêtre et Vouner l'entendit s'éloigner. Le bruit de ses pas s'évanouit pour revenir aussitôt après. Darfass ouvrit la trappe et descendit vers Vouner.

— Que se passe-t-il ? s'enquit le Terrien.

Darfass essuya la sueur de son front.

— Le parc grouille de soldats. Ils sont armés et portent des détecteurs.

Une sensation glacée monta en Vouner. Maintenant il ne pouvait sortir d'ici. Son visage se tordit. Il saisit Darfass qui reculait, par le col.

— Ces types me cherchent. Ils vont entrer dans la boutique !

Darfass ouvrit la bouche et l'horrible odeur des feuilles de moroun assaillit Vouner.

— Lâchez-moi ! (Darfass respirait difficilement.) Bien sûr qu'ils viendront dans ma boutique mais personne ne vous trouvera.

Avec un juron, Vouner repoussa le vieux.

— Ça peut durer des jours avant que les soldats ne disparaissent, dit-il d'une voix rauque.

Il descendit l'escalier et s'assit sur la chaise. Darfass le regarda craintivement. En son for intérieur, Vouner maudit la malchance qui le poursuivait depuis l'instant où il s'était passé l'activateur autour du cou. Une malédiction semblait peser sur l'appareil.

Vouner ne put s'empêcher de penser à la menace de

Hefner-Seton. L'Arra lui avait prédit qu'il serait constamment pourchassé.

Vouner entendit Darfass quitter la pièce de nouveau. Cette fois-ci il ne fit rien pour retenir le marchand. LE Terrien était assis sur la chaise, plongé dans de sombres pensées. Il se souvint faiblement de son départ de la Terre. Alors il était monté calmement, avec confiance et plein d'espérance, à bord de l'*Olira*. Maintenant c'était un homme rempli de haine, qui se méfiait de tous.

Et pourtant il portait l'immortalité sur la poitrine. Vouner était convaincu que tout changerait quand il atteindrait la base. Cela mettrait un terme à cette chasse à l'homme. Un vaisseau le reconduirait sur la Terre où il pourrait vivre son existence d'immortel. Rien que cette pensée le soutenait.

Cette fois-ci il s'écoula un certain temps avant que Darfass ne revînt. Quand le vieux souleva la trappe, il souriait malicieusement. Vouner attendit qu'il fût près de lui.

— J'ai parlé avec les soldats, dit le marchand paisiblement.

— Alors ?

— Quel est votre nom ?

— Vouner. Hendrik Vouner.

Le marchand ricana, satisfait.

— Les soldats cherchent tout l'équipage du *Kotark*. Ils semblent tout ignorer de vous.

Sans voix, Vouner regarda son interlocuteur. Il tenta de comprendre ce qu'il venait d'entendre.

— Il n'y avait pourtant que deux Arras à bord pendant l'atterrissage, dit-il pensivement. Ils ont sûrement fait un rapport.

Darfass approcha une caisse et s'assit.

— Racontez-moi toute l'histoire.

Vouner raconta au marchand ce qui s'était passé après le naufrage de l'*Olira* sur Vélandre II. Il raconta au vieux comment tous les occupants avaient trouvé la mort et comment lui, Vouner, avait découvert l'activateur cellulaire dans la jungle. Puis le vaisseau des Arras avait atterri. Après de sévères démêlés, il était parvenu à tromper l'équipage. Il avait contraint les astronautes restés à bord à le conduire sur la Terre. Mais Hefner-Seton, le commandant arra, l'avait dupé et s'était posé sur Arralon.

— En dehors de Hefner-Seton il n'y avait que le radio à bord, dit Vouner pour conclure. Comment se fait-il que les soldats soient à la recherche de tout l'équipage ? Hefner-Seton ne leur aurait-il pas dit la vérité ?

Darfass se gratta pensivement le menton. Ses petits yeux se fermèrent un instant.

— L'activateur est l'explication, dit-il au bout d'un moment. Nous devons partir du principe que presque tout le monde tombe sous son charme.

Vouner s'appuya en arrière. Sa tension nerveuse s'apaisa un peu. Pour l'instant il pouvait faire confiance au marchand. La conscience de n'être pas sous la pression constante du danger le soulagea.

— Hefner-Seton, poursuivit Darfass, a également pris la fuite avec le radio. C'était leur chance d'obtenir l'activateur. Si les deux astronautes avaient attendu les soldats, on leur aurait rapidement arraché la vérité. Alors toute la planète aurait été mobilisée· pour vous pourchasser, Vouner. Et moi non plus je n'aurais pu vous aider. Hefner-Seton veut l'activateur. Cela signifie qu'il a disparu quelque part. Il va essayer de vous trouver.

Cela semblait logique. Vouner pensait que le marchand avait raison. Cela améliorait considérablement la situation. Non pas qu'il se trouvât en cet instant hors de danger mais il fallait supposer que les personnes qui sur Arralon étaient au courant de son existence et de celle de l'activateur, étaient elles-mêmes en difficulté. Hefner-Seton et Sorgun devaient prendre garde aux équipes de recherches. Et Darfass se trouvait sous le contrôle personnel de Vouner.

Darfass se croisa les mains sur le ventre. Sur son visage fripé apparut une expression de satisfaction.

— En route pour Pasch, dit-il en souriant.

Vouner se leva. Un éclat étrange brillait dans ses yeux.

— En route pour Pasch, répéta-t-il d'une voix rauque.

CHAPITRE IV

Trois jours plus tard, les soldats quittèrent les environs de la boutique. A quatre reprises, ils avaient effectué un contrôle. A chaque fois, Vouner avait écouté, en retenant son souffle, le trépignement des bottes. Avec soulagement il avait ensuite entendu Darfass se dandiner vers la trappe et annoncer :

— Ils sont partis !

Malgré tout, cette attente était une torture pour Vouner. Il souffrait de devoir, lui l'immortel, vivre dans une cave obscure avec des centaines de petites bêtes bruyantes. Darfass lui apportait suffisamment de nourriture mais Vouner était beaucoup trop nerveux pour manger avec plaisir. Le marchand tenta de lui enseigner le torguich mais l'impatience de Vouner l'empêchait de faire des progrès notables. Il tournait sans cesse en rond comme un fauve en cage.

Finalement Darfass le rejoignit et dit :

— Ils ont quitté le parc.

D'un bond, Vouner se leva de la chaise où il venait de s'asseoir. Il rougit. Le calme des derniers jours lui avait un peu rempli le visage. Cette expression qui lui donnait un air de vautour avait disparu. Seuls les yeux restaient rougis et leurs regards paraissaient fuyants.

— Croyez-vous que les soldats aient attrapé les deux Arras ?

— Certainement pas. Ces deux-là auront disparu

depuis longtemps. Les habitants des villes souterraines sont très difficilement contrôlables.

— Nous pouvons enfin sortir de ce trou de rat.

— Du calme, dit Darfass. Maintenant je vais chercher des vêtements.

Vouner avait compris depuis longtemps qu'il était inutile de discuter avec cet homme. Darfass ne se laisserait pas détourner de ses plans. Comme il connaissait parfaitement ce monde-ci, Vouner devait forcément lui obéir.

— Vous pouvez maintenant monter dans la boutique, proposa Darfass. Les clients ne viennent jamais dans la journée.

Mais Vouner y renonça. Il trouvait plus sûr de rester avec les animaux. Deux autres jours passèrent pendant lesquels le marchand fut presque constamment de sortie. Vouner recommença ses incessantes allées et venues dans la cave.

Plein d'espoir il vit alors Darfass descendre, un paquet ficelé sous le bras. Il le jeta à Vouner.

— Tenez, dit-il. Je vous ai rapporté quelque chose.

Quand Vouner ouvrit le paquet, il y trouva une cape étrange.

— Qu'est-ce que c'est que ça ?

— Une espèce d'uniforme. Divers instituts de recherche médicale ont des volontaires venus de toutes les planètes, qui se mettent à leur disposition pour des expériences médicales. Ces gens jouissent d'une grande considération. Il y a aussi des Terriens parmi eux. Tous portent cette cape.

— Bon, dit Vouner. Ça ira.

Il ôta ses haillons et les remplaça par les vêtements que Darfass lui avait rapportés. En plus de la cape il y avait un pantalon demi-long lacé au-dessus du genou. Des sandales plates, un serre-tête et une large ceinture complétaient le tableau.

Du plat de la main Vouner caressa sa barbe hirsute.

— Maintenant il ne me manque plus qu'un bain et un rasage.

D'un geste d'invitation, Darfass montra l'escalier.

— Là-haut tout est prêt, dit-il.

Vouner passa devant lui. L'escalier craqua sous ses pas. A vrai dire il n'avait jamais cru qu'il parviendrait à sortir un jour de la cave.

Darfass le suivit du regard. Son visage était inexpressif. La méfiance du Terrien avait déjà faibli. Tôt ou tard, il s'en remettrait de plus en plus à Darfass.

A ce moment-là, ils seraient à peu près à Pasch.

Le vieux serra les poings.

C'était le moment qu'il choisirait pour frapper sans ménagements.

Le marchand suivit le Terrien dans la boutique.

— Oterez-vous l'activateur pendant le bain ?

Hendrik Vouner répondit par la négative.

CHAPITRE V

Hefner-Seton attendit que les robots de la voiture aient traversé la rue et disparu entre les entrepôts. Alors il détacha les ventouses du dessous du véhicule et se laissa tomber par terre. Il rampa de sous la voiture et regarda rapidement alentour. A cette heure matinale, la rue était déserte.

Hefner-Seton était transformé extérieurement. Il ne portait plus depuis longtemps la cape d'astronaute. Ses vêtements étaient ceux d'un citoyen ordinaire d'Arralon. Son visage était soigneusement grimé. Sous sa nouvelle apparence, l'ancien commandant du *Kotark* paraissait trente ans de plus.

Il s'éloigna du véhicule en courant et jeta les ventouses dans l'herbe haute près de la route. Maintenant il n'en avait plus besoin. La voiture l'avait conduit ici depuis Forungs, sans que les robots aient découvert leur passager clandestin.

La majeure partie des habitants d'Arralon vivait sous la surface, les gigantesques villes se trouvant toutes dans le sol évidé. Dans les parcs généreusement aménagés partout, il y avait peu d'Arras. Hefner-Seton avait ainsi pu quitter Forungs incognito, plus facilement. Dans une petite entreprise de transport il avait regardé les heures de départ. Comme les transporteurs-robots ne passaient dans les rues que la nuit, il n'avait même pas eu besoin de se montrer particulièrement prudent. Le soir, avant que les robots n'occupent le véhicule, Hefner-Seton s'était glissé en dessous et s'y était accroché avec les ventouses.

Le voyage à Pasch n'avait pas été une partie de plaisir. Le vent froid de la nuit avait soufflé à vitesse folle sur le corps de l'Arra. Il avait été gelé pendant tout le voyage ; le sang semblait se coaguler dans ses veines.

Dans sa vie, Hefner-Seton n'était allé qu'une fois à Pasch. Il ne s'y connaissait donc pas très bien. Juste près de la côte on avait construit de grands tunnels d'accès, hermétiquement fermés par des barrages électromagnétiques à marée haute et lors des raz de marée.

Mais on pouvait aussi atteindre Pasch par la terre. Des voies gigantesques conduisaient dans les profondeurs. A une époque depuis longtemps révolue, Pasch avait été la ville la plus puissante d'Arralon. Ses vaillants navigateurs avaient dominé le continent et installé des bases partout le long de la côte. Mais ensuite, avec la technique moderne, Pasch avait perdu toute prééminence politico-militaire. L'industrie aéronautique ayant amené sans cesse de nouvelles améliorations, Pasch avait perdu même la prépondérance en matière de commerce. Cela allait plus vite de transporter des marchandises par fusée que par bateau.

Pasch était toujours une grande ville mais son activité s'était figée, ses habitants paraissaient rêver au temps passé. Un grand transmetteur devait rétablir la position d'autrefois mais d'autres villes disposaient également d'un ou deux appareils de ce genre.

Pasch avait beaucoup perdu de son ancienne force d'attraction. Certes la ville ne cesserait jamais d'exister mais elle n'atteindrait plus la prééminence économique qu'elle avait eue par le passé. Des villes telles que Forungs qui possédaient leurs propres astroports déterminaient maintenant le commerce.

Hefner-Seton monta sur l'une des bandes transporteuses qui conduisaient dans les profondeurs. Le tunnel était éclairé et le conduisit en bordure de la ville. A l'étonnement de l'Arra, le barrage était fermé. Deux robots le regardaient venir.

Hefner-Seton n'avait plus d'autre solution que de sauter de la bande porteuse. Le robot lui tendit sa plaque de service.

— D'où venez-vous ? demanda-t-il d'une manière stéréotypée.

Hefner-Seton réfléchit à la vitesse de l'éclair. De Forungs on avait vraisemblablement envoyé un message à Pasch. Tout suspect arrivant dans la ville serait soumis à un contrôle sévère. Hefner-Seton prit une profonde inspiration. La situation se gâterait s'il ne parvenait pas à convaincre les deux robots de son innocence.

— De Hosool, affirma-t-il tranquillement.

— Papiers !

Les chances de Hefner-Seton s'évanouirent. Il haussa les épaules.

— Pour quoi faire ? Je n'en ai pas sur moi.

Le second robot s'approcha. Il saisit l'Arra par le bras et le tint solidement.

— Je regrette, dit le robot avec une politesse mécanique. Vous devez être contrôlé.

Hefner-Seton jeta un regard mélancolique de l'autre côté du barrage. Il se mit à fouiller dans sa poche avec sa main libre.

— Ah ! cria-t-il en feignant le soulagement. Les voici !

Il sortit un vieux morceau de papier et le laissa tomber, comme par mégarde, sur la bande transporteuse. La feuille fut rapidement emportée. La pression sur le bras de l'Arra se relâcha. Les deux robots se précipitèrent derrière la fausse carte d'identité.

En deux bonds l'Arra atteignit le barrage et l'escalada. Les premières maisons étaient à portée de la main. Il évita la zone éclairée par les plafonniers. Il poursuivit sa course plus vite.

Les robots étaient tombés dans le piège parce que leurs cerveaux positoniques ne pouvaient s'adapter assez vite à une ruse qui leur était aussi étrangère. En haletant, Hefner-Seton atteignit la première maison. Ici il n'était toutefois pas en sécurité.

Dans quelques minutes, de hauts fonctionnaires auraient entre les mains la feuille qu'il avait montrée aux robots. Dès cet instant, Pasch ne serait plus qu'une seule et unique station de contrôle.

La feuille que Hefner-Seton avait en effet utilisée comme « carte d'identité » était un vieux bulletin de fret du *Kotark*.

CHAPITRE VI

Le matin du départ, Darfass se montra pour la première fois de mauvaise humeur. Il entra dans la cave, la mine sombre. Vouner devinait que c'était son inquiétude pour les pouners qui accablait le vieux.

— Vous devez sortir d'ici, dit Darfass.

Vouner fit une grimace interrogative.

— Une de mes connaissances va se charger du magasin pendant mon absence. Il vaut mieux qu'elle ne vous voit pas. Allez dans le parc. Je vous suis dans quelques minutes.

Vouner saisit le fusil radiant. L'arme qu'il avait prise à Sorgun dans le *Kotark* était cachée dans sa ceinture.

— Laissez cette chose ici, exigea Darfass en montrant le fusil. Personne ne se promène avec ça dans un parc.

Indécis, le Terrien tenait dans la main l'arme qui l'avait si souvent sauvé. Avec une expression de regret il la déchargea. Puis il la tendit au marchand. Darfass jeta un regard furieux au chargeur dans les mains de Vouner.

— Toujours méfiant, hein ? gronda-t-il.

Vouner ne répondit pas. Il empocha le chargeur. Le vieux disparut avec le fusil. Vouner quitta la cave. Quand il fut derrière le comptoir et regarda au-dehors dans le parc, il vit qu'il était encore très tôt. Personne ne se trouvait dans le parc.

— Allez vers le grand arbre et attendez-moi, dit Darfass.

Les regards des deux hommes si différents se croisèrent.

— Pas de bêtises, avertit Vouner.

Darfass fit signe que non.

Vouner écarta le rideau de velours et quitta la boutique. L'air frais le frappa. Il se sentait frais et dispos. Les journées de repos lui avaient fait du bien. Le sol paraissait élastique sous ses pas. Le gravier crissait sous ses sandales. De l'astroport lui parvint le bruit d'un vaisseau qui appareillait. Partait-il pour Sol ?

Quand Vouner se retourna, il vit une silhouette emmitouflée se glisser dans la boutique. Sans doute le remplaçant du vieux qui, pour des raisons inconnues, ne voulait pas se montrer en public. Darfass semblait être un personnage douteux. L'existence de cette boutique miteuse en surface, était déjà énigmatique en soi. Mais ce n'étaient pas là des problèmes qui intéressaient Vouner. Il s'était fixé pour but d'atteindre d'abord Pasch, puis Doun.

Il s'arrêta près du grand arbre. C'était un matin frais.

Vouner souffla dans ses mains pour les réchauffer.

Au bout d'un moment, Darfass surgit à l'entrée de la boutique, jeta un bref regard alentour puis se dandina vers le parc. Le vieux ne pouvait se déplacer très vite. Au cas où ils devraient fuir, le marchand serait un handicap.

Darfass arriva, haletant, près de Vouner.

— Que se passe-t-il ? s'enquit le Terrien. N'êtes-vous plus habitué à courir ?

— Je suis un vieil homme.

Il décida de la direction et Vouner le suivit sans hésiter. Le parc s'étendait sur une colline en pente douce. Partout on avait installé des fontaines et des mosaïques.

— Avez-vous un véhicule quelconque avec lequel nous pourrions atteindre Pasch ?

— Non, grogna Darfass. C'est trop dangereux.

Vouner s'arrêta, indigné.

— Comment voulez-vous alors aller à Pasch ?

— A pied !

Vouner ne put s'empêcher de rire en voyant debout devant lui, ce vieil homme qui affirmait sans émotion qu'il pourrait tenir plus d'une semaine de marche forcée.

— Dans quatre jours nous serons à Pasch.

— Mais...

D'un geste, Darfass lui coupa la parole.

— Dosez bien vos efforts, recommanda-t-il au Terrien. Ce serait tragique si vous ne pouviez tenir le coup.

Vouner perçut la provocation dans la voix du vieux.

— Voulez-vous faire une course ? demanda-t-il.

— Un vieil homme n'est pas très rapide. En échange il est parfois très résistant.

Ils avaient depuis longtemps laissé le parc en arrière quand Kesnar, le petit soleil jaune, se leva au-dessus des arbres. La brume se dissipa progressivement. En silence, Darfass se dandinait devant le Terrien. Il avait pris une espèce de trot de loup, une allure qui paraissait difficile mais économisait beaucoup de forces.

Vouner sentait déjà des crampes dans ses mollets. Ils se déplaçaient maintenant sur une vaste zone de sable rouge. Mis à part quelques piquets de jalonnement qui indiquaient la direction du prochain parc, ils ne virent rien.

Le soir ils avaient déjà laissé la dernière entrée de Forungs loin derrière. Darfass continua alors que les premières étoiles apparaissaient déjà dans le ciel. Ils étaient maintenant dans un autre parc. Ils trouvèrent une cabane en pierres destinée à agrémenter l'espace vert et ils s'y installèrent pour la nuit. Darfass prépara un repas rapide.

Fatigué, Vouner s'assit, le dos au mur. Il avait ôté ses sandales. La marche forcée ne semblait pas avoir affecté Darfass. Tandis qu'ils mangeaient, ils n'échangèrent pas une parole.

Ensuite Darfass s'essuya la bouche avec un grognement.

— Nous avons mieux progressé que je ne le pensais, dit-il.

Vouner enfila ses sandales et se leva.

— Je dois vous fouiller, déclara-t-il.

Le vieux leva vers lui un regard furieux.

— Qu'est-ce que ça signifie ?

— Nous allons dormir ensemble dans cette cabane. Vous avez eu suffisamment d'occasions de vous procurer une arme. Allez, levez-vous !

Avec un juron, Darfass se mit debout. Vouner fouilla systématiquement les vêtements du marchand. Il trouva un minuscule pistolet à balles et un couteau pliant.

— C'est l'activateur que vous voulez, hein ? cria le Terrien en perdant son sang-froid. Alors que vous prétendez m'aider, vous projetez déjà un meurtre !

Il sortit le radiant de Sorgun et le pointa sur Darfass.

— Tirez et vous n'atteindrez jamais Pasch, dit le vieux calmement.

Passions et instincts dominaient Hendrik Vouner, homme jadis tout ce qu'il y avait de plus honnête. L'immortalité qu'il voulait conserver à tout prix, l'avait complètement transformé. Il frappa le marchand — un geste qui autrefois lui aurait fait horreur.

Darfass tituba en arrière. Le dos appuyé contre le mur, il regarda le Terrien avec haine. Vouner frémit. C'était là le seul sentiment qu'il pouvait encore éveiller chez les autres : la haine ! La haine et l'envie ! Il ne devait plus compter trouver de vrais amis. Mais cela lui paraissait sans importance s'il pouvait seulement sauver son immortalité.

— Vous allez me conduire à Pasch. Mais le canon de cette arme sera constamment pointé sur votre dos.

Il ordonna au marchand de s'allonger. Avec un bout de corde il le ligota.

Vouner dormit mal. Plusieurs fois il s'éveilla en sursaut parce qu'il croyait que Darfass voulait le terrasser. Mais le vieux, lui, dormait profondément. Vouner eut des rêves agités. L'activateur en était constamment le centre.

Vouner fut heureux de voir l'aube pointer. Il réveilla Darfass et le détacha. Le froid nocturne avait engourdi les membres des deux hommes. Ils s'étirèrent pour se réchauffer.

Sans entrain, Vouner mangea un peu. Il se rasa avec une pommade et remit son serre-tête.

Darfass ne dit mot. Sa lèvre supérieure était enflée. Vouner n'en avait nul remords. Celui qui voulait son activateur devait s'attendre à une résistance déterminée. Ils terminèrent leur toilette matinale sommaire et quittèrent la cabane.

Toute la matinée ils marchèrent dans un parc interminable. Darfass, le visage fermé, avançait devant Vouner. Ils rencontrèrent des passants mais nul ne leur adressa la parole. De temps en temps Vouner croisait des regards curieux mais sa cape semblait être une explication suffisante pour chacun. Une fois ils rencontrèrent des soldats qui ne se soucièrent pas d'eux. Peu à peu, les sentiments de Vouner s'apaisèrent.

— Ne faisons-nous pas de pause ? demanda-t-il à Darfass d'un ton conciliant.

Ils s'assirent sur un banc. Darfass observa les oiseaux qui se baignaient dans une fontaine proche, tandis que Vouner mangeait. Un animal, pas plus gros qu'un écureuil terrien s'approcha et chercha des miettes à côté de Vouner. Celui-ci lui donna un coup de pied et il s'enfuit avec un sifflement d'effroi.

— Pourquoi faites-vous ça ? demanda Darfass.

— Je n'aime pas les bêtes.

Sur Terre il en était allé autrement mais jadis il ne possédait alors pas d'activateur cellulaire. L'animal effarouché était accroupi à quelques mètres de là et leur jetait des regards craintifs. Dans son petit cerveau, la peur et la faim étaient en conflit. Darfass lui lança quelques miettes.

Vourner lui frappa sur la main.

— Arrêtez !

Darfass le regarda du coin de l'œil.

— Vous ne vivez plus qu'en égoïste, Terrien ! Vous vous êtes fermé à tout ce qui vit autour de vous.

Avec haine, Vouner regarda l'animal en train de manger. Il ne pouvait plus en supporter la vue.

— Nous continuons, décida-t-il, les yeux brûlants et les dents serrées.

Il attendit avec impatience que Darfass se lève.

L'après-midi suivant ils atteignirent l'extrémité du gigantesque parc. Une épaisse forêt lui succéda, parcourue de sentiers étroits mais entretenus.

Darfass s'arrêta. Il sortit sa montre.

— Nous arriverons à Pasch au moment prévu, dit-il.

CHAPITRE VII

Collé contre le mur de la maison, Hefner-Seton attendait sa victime. Les grands plafonniers étaient éteints, seules des lampes d'orientation isolées brûlaient encore. L'Arra avait choisi la rue du canal. A cette heure-là, la majeure partie des habitants de Pasch dormait. Quelques-uns seulement allaient par les rues désertes. Hefner-Seton avait réussi à atteindre la zone côtière bien qu'il ait dû éviter constamment les patrouilles et les contrôles. Il lui fallait d'autres vêtements de toute urgence car les deux robots avaient certainement donné son signalement.

L'homme qui devait lui fournir des vêtements ne s'approchait que lentement. Hefner-Seton sentait le froid du béton dans son dos. Il avait faim et était fatigué. Depuis son arrivée à Pasch au petit matin, il n'avait ni mangé ni dormi.

L'Arra passa devant lui sans voir l'ombre qui se serrait contre la maison. Hefner-Seton bondit de sa cachette et abattit l'homme d'un coup. Il le fouilla, trouva un peu d'argent, une carte d'identité, et deux concentrés de vitamines.

Il dévêtit rapidement l'homme évanoui et mit ses vêtements. Il passa les siens à sa victime. L'Arra réprima les scrupules qui lui venaient. Il ne pouvait plus reculer. Si on l'arrêtait maintenant, un tribunal le condamnerait à mort — ou ce qui était encore pire, le déporterait sur une planète-bagne.

Personne ne dérangea Hefner-Seton dans son acte criminel. Quand il eut terminé, il tira l'homme inconscient jusqu'au canal et l'y jeta. Le bruit sourd du choc dans l'eau monta aux oreilles du meurtrier. Hefner-Seton fit une grimace dégoûtée. L'activateur cellulaire justifiait-il une telle action ?

L'Arra fit brusquement demi-tour et reprit sa route. Il quitta la rue du canal et retourna au centre ville. Avec ces vêtements il était moins suspect. Il chercha un hôtel bon marché et entra.

Il dut actionner quatre fois la sonnette avant qu'un serviteur-robot n'apparaisse. Il était endommagé et son secteur vocal avait un défaut. Il donna une clef magnétique à Hefner-Seton.

— Utilisez l'ascenseur, s'il vous plaît. Au troisième étage se trouve la chambre qui correspond à la clef.

Il n'avait demandé à l'Arra ni sa carte d'identité, ni d'où il venait. Hefner-Seton atteignit la chambre. C'était une pièce petite et sale. L'Arra se dirigea vers l'intercom.

— J'aimerais quelque chose à manger.

— Tout de suite, répondit le robot avec une rapidité inattendue.

Hefner-Seton ne s'était pas encore dévêtu que la machine entrait déjà avec une assiette de biscuits secs.

— Voulez-vous aussi à boire ?

— Non ! dit l'Arra. Disparais !

Quand il fut seul il s'étendit sur le lit. Il était en sûreté pour le moment. Il mangea un peu et s'endormit peu après. Le lendemain matin, le robot-serviteur défectueux lui apporta un misérable petit déjeuner. Hefner-Seton quitta l'hôtel après avoir réglé une note exorbitante.

Les rues étaient maintenant plus animées. Hefner-Seton plongea dans la foule. Son objectif était très net. Il prit son temps. Dès qu'il voyait une patrouille, il entrait simplement dans un magasin et regardait les marchandises proposées. Quand le danger était passé, il quittait la boutique et reprenait sa route.

144

Avant d'atteindre un des tunnels qui conduisaient à la mer, l'Arra sentit déjà l'air frais du large. Le nombre des bâtiments diminua. Hefner-Seton courut le risque de sauter sur une bande transporteuse mais il parvint sans encombre à l'entrée du tunnel. Là-bas il n'y avait ni barrage ni soldats. Il pénétra dans le tunnel éclairé comme en plein jour. Un robot-aspirateur montait le tunnel pour écarter l'humidité qui se formait en permanence. Hefner-Seton attendit que le véhicule bourdonnant soit passé. Derrière, il vit trois hommes en costume d'astronaute. Ils passaient apparemment leur congé ici. Il ne les connaissait pas mais leur aspect éveilla des souvenirs en lui.

Le tunnel conduisait directement à la mer.

Quand Hefner-Seton en sortit, il vit la plage à cinquante mètres de là. Une rangée de petits bâtiments s'étirait le long de la côte. Ils étaient construits d'une manière si primitive qu'ils étaient détruits par les flots impétueux à chaque fois qu'il se produisait une catastrophe naturelle.

Plus loin, l'Arra aperçut des bateaux de plaisance à l'ancre. Ils dansaient sur les vagues comme de petites balles bleues. Un vent fort soufflait sur la mer. Un canot de pêche était ancré contre un petit quai en pierre.

Jadis Pasch avait possédé le plus grand port d'Arralon mais de cela on ne voyait plus rien. Seul le petit mouillage était resté. Malgré tout, la côte faisait l'effet d'un tableau d'une époque depuis longtemps révolue.

Hefner-Seton arrêta un homme qui portait la cape jaune des gardes côtiers.

— J'aimerais louer un bateau, dit-il. A qui dois-je m'adresser ?

L'homme le regarda à peine. Il montra l'une des cabanes au bord de la plage.

— Voyez-vous la pancarte ronde ?

— Oui, merci, dit l'astronaute qui reprit sa route.

Il atteignit le bâtiment à l'enseigne ronde. Le vent secouait les fenêtres et quelque part sur le toit, un morceau de plastique détaché claquait. Hefner-Seton ouvrit la porte. Une agréable chaleur le reçut.

Un vieil homme, assis sur un banc, frappait au marteau sur un gouvernail posé devant lui sur la table. Il leva les yeux quand Hefner-Seton entra.

— Il y a toujours quelque chose de cassé sur ces bateaux de plaisance, dit le vieux d'une voix calme. La plupart des gens n'y entendent pas grand-chose à leur maniement. Mais asseyez-vous donc.

— J'aimerais louer un bateau.

L'homme interrompit son travail et regarda la mer agitée.

— Un orage ! dit-il, appréciateur.

Irrité, Hefner-Seton fit la grimace. Il sortit une partie de son argent qu'il posa sur la table. Le loueur le regarda franchement.

— Un ami à moi va bientôt arriver ici, dit l'astronaute. Il voudra louer un bateau. (En quelques mots il décrivit Vouner.) Dès qu'il arrivera, informez-moi, s'il vous plaît. J'aimerais lui faire une surprise. Il ignore que je suis ici et il ne doit l'apprendre que par moi.

— Comptez-vous faire une sortie en bateau ensemble ?

— Oui. Où puis-je habiter entre-temps ?

Le vieux se leva et serra la main à Hefner-Seton.

— Je m'appelle Kler-Basaan, dit-il. Vous pouvez loger chez moi. Il montra la pièce voisine.

— Entendu, dit Hefner-Seton soulagé.

Kler-Basaan sourit.

— De moins en moins de gens s'intéressent à la pêche et à la navigation maritime. Je suis heureux que vous soyez venu.

Hefner-Seton inclina la tête. Il pouvait être satisfait. Il était pour l'instant à l'abri de ses poursuivants. Le piège pour Vouner était dressé. Mais avant l'arrivée du Terrien, lui Hefner-Seton devait encore se procurer une arme.

La chance que le porteur de l'activateur arrive jamais à Pasch n'était pas particulièrement grande mais le

Terrien s'était avéré coriace et courageux. Hefner-Seton le croyait capable de bien des choses. Pour Vouner il n'y avait qu'un chemin pour Doun : par la mer !

Mais auparavant il perdrait l'activateur cellulaire et la vie par la main de Hefner-Seton. Le mugissement du vent et le bruit des vagues firent frissonner l'Arra.

D'une manière ou d'une autre, ce spectacle paraissait lui procurer un peu de cette immortalité à laquelle il aspirait.

Surpris, Kler-Basaan regardait son hôte. Il n'avait encore jamais vu un homme aussi fasciné par le caractère sauvage de la mer.

CHAPITRE VIII

— Les barrages ! cria Vouner hors de lui. Les barrages sont occupés !

Darfass le saisit et le tira dans une niche près de la bande transporteuse.

— Etes-vous devenu fou ? Vos hurlements vont nous mettre ces types sur le dos.

La respiration difficile, Vouner se pencha en arrière. Voir l'entrée de la ville occupée par des robots l'avait rendu fou furieux. Heureusement ils s'en étaient aperçu à temps et avaient sauté de la bande transporteuse.

— Comment allons-nous maintenant entrer dans Pasch ? demanda Vouner, désespéré.

— En tout cas, pas par ce chemin. Faites travailler un peu votre bon sens au lieu de faire le cinglé.

L'entrée de la ville subplanétaire qu'ils avaient choisie ne se différenciait pas des nombreuses autres de ce genre. Il y avait deux bandes porteuses — une montante et une descendante. Les deux voies étaient séparées par une rambarde de trois mètres de haut pour éviter les accidents. Celui qui venait de la surface ne pouvait faire demi-tour qu'en descendant jusqu'en bas et en changeant ensuite de bande au terminus.

A leurs pieds, la bande se déplaçait à grande vitesse. Une niche offrait juste la place pour deux personnes. Ils virent que les robots au barrage contrôlaient quiconque voulait entrer dans la ville ou en sortait.

— Pour moi il n'est pas difficile d'entrer dans Pasch,

dit Darfass. Je possède une carte d'identité irréprochable. Mais nous ne pourrons vous faire franchir le barrage.

— Nous devons faire demi-tour et chercher un autre chemin.

Darfass montra la voie transporteuse d'un air moqueur.

— Comment ? demanda-t-il.

— Nous devons passer sur l'autre voie, dit Vouner avec détermination. Nous n'avons pas d'autre solution.

— Je ne suis pas candidat au suicide, ronchonna Darfass.

Vouner ne répondit pas. Il bondit de la niche sur la bande qui défilait à toute allure. Il garda péniblement l'équilibre. En quelques pas, toujours exposé au danger d'une chute, il parvint sur le bord opposé de la bande. Il se moquait complètement que Darfass le suive ou non. Il était arrivé devant Pasch et même seul il pénétrerait à l'intérieur de la ville.

La bande l'emportait à vive allure vers le barrage. Il devait agir avant d'éveiller l'attention des contrôleurs-robots. Vouner se repoussa des deux jambes. Pendant un moment il plana en l'air, l'élan de la bande le fit presque tournoyer mais ses mains saisirent alors les étrésillons de la rambarde entre les deux voies. Ses pieds trouvèrent un appui. Il se mit aussitôt à grimper. La rambarde était solide. Un regard de côté lui montra que Darfass, avec l'agilité d'un singe, escaladait lui aussi la rambarde un peu plus bas.

Ils parvinrent de l'autre côté. Vouner sauta simplement le dernier mètre. Il tomba et fut emporté. Péniblement, il se retourna et vit le marchand sauter de la rambarde. Darfass fit la culbute, roula presque jusqu'au bord de la voie et resta étendu, sans bouger.

Deux Arras qui se trouvaient près d'eux, sur la même voie, s'approchèrent prudemment.

La main de Vouner se posa sur son arme, sous la cape. L'un des deux hommes lui dit quelque chose en torguich. Au soulagement de Vouner, Darfass se leva et sautilla vers eux. Le vieux semblait avoir bien souvent utilisé ces voies transporteuses car il se tirait très bien d'affaire.

Darfass s'adressa aux deux Arras en torguich. Vouner observait la scène avec méfiance. Soudain, les étrangers se mirent à rire. Vouner sentit qu'il était à l'origine de leur hilarité.

Ils s'entretinrent avec animation avec Darfass jusqu'au moment où la voie atteignit la dernière station à l'entrée supérieure et fit demi-tour sur un rouleau de renvoi.

Les Arras prirent congé de Darfass et jetèrent un regard amical à Vouner. Celui-ci inclina la tête d'un air maussade.

— Que leur avez-vous raconté ? demanda-t-il à Darfass quand les Arras eurent disparu dans une autre direction.

Mais le marchand garda un silence obstiné. Vouner abandonna ses efforts.

— Comment allons-nous maintenant entrer dans la ville ?

— Les barrages de toutes les entrées sont vraisemblablement occupés.

— Que pouvons-nous faire ?

Darfass secoua lentement la tête.

— Le mieux c'est de retourner à Forungs et d'attendre que les barrages soient levés. Normalement il n'y a pas de contrôle.

— A Forungs ? Jamais ! Nous sommes venus jusqu'à Pasch et nous n'allons pas abandonner maintenant.

Darfass examina le Terrien pensivement.

— Savez-nous nager ?

— Oui.

— Près de la côte il y a une entrée immergée. Depuis qu'elle s'est effondrée, il y a quelques années, elle a été interdite aux transports publics. Peut-être passerons-nous là-bas.

— Essayons, dit Vouner décidé.

Le marchand regarda sa montre.

— Nous atteindrons l'entrée au crépuscule. C'est le moment favorable.

Vouner ressentait la même agitation fébrile que lorsqu'il avait trouvé l'activateur. Chaque jour qu'il laissait passer inutilement, augmentait les probabilités de l'arrestation de Hefner-Seton ou de Sorgun. On leur soutirerait la vérité. Et quelques minutes plus tard, la grande chasse au Terrien commencerait.

Doun ! Ce nom sonnait pour lui comme une promesse. Vouner porta la main à l'activateur, geste qu'il répétait presque toutes les heures. L'appareil pendait à sa place et un courant chaud semblait en émaner.

Fatigues, dangers, combats, tout était sans importance en comparaison de l'immortalité que lui promettait l'activateur.

La prédiction de Darfass se confirma. Quand l'obscurité tomba ils sortirent d'un petit parc. Des panneaux de danger étaient accrochés partout. Ils vous mettaient en garde en torguich et en intergalacte contre la poursuite de votre route. Il y avait partout un risque de chute.

Ils continuèrent. Devant eux, le sol n'était plus entretenu. Des morceaux d'un ancien revêtement étaient récouverts par des mauvaises herbes.

Ils escaladèrent des monticules de terre retournée. Vouner s'étonna de la connaissance que le marchand avait des lieux. Il faisait maintenant presque nuit noire mais Darfass semblait très bien connaître le chemin car il se déplaçait avec l'assurance d'un autochtone. Ils passèrent devant d'autres panneaux mais il faisait maintenant trop sombre pour lire les inscriptions.

Puis ils arrivèrent à l'entrée partiellement éboulée : un trou noir. Darfass siffla.

— Personne, dit-il après avoir tendu l'oreille.

Vouner fut alors certain que le marchand connaissait cette entrée depuis fort longtemps. Le tunnel était vraisemblablement utilisé pour transporter des marchandises interdites.

— Vous devez rester sur mes talons. Ce qui nous attend maintenant n'est pas un jeu d'enfant.

Ils pénétrèrent dans le tunnel. Sous ses pas, Vouner sentit le sol devenir plus mou. Une odeur de pourri et d'humidité le frappa. Il fit plus frais.

— Nous avons besoin de lumière, chuchota le Terrien.

— Sottise ! dit la voix de Darfass sortant des ténèbres. Suivez-moi !

Vouner sortit son radiant de sa ceinture. Il ne voulait pas être surpris par le vieux dans l'obscurité. Apparemment, Darfass avait interprété correctement le geste car il dit en ricanant :

— Ne vous inquiétez pas, Vouner.

Au bout d'un moment, une partie de l'ancienne voie transporteuse les empêcha de poursuivre. Darfass s'arrêta. Vouner sentit que ses mains tendues heurtaient le métal.

Darfass poussa un juron.

— Ils ont manifestement utilisé des explosifs, dit-il. J'espère que nous pourrons continuer.

Vouner rampait derrière le marchand, sur la bande détruite de la voie transporteuse. Il devait maintenant s'en remettre entièrement au sens de l'orientation de l'Arra. Soudain il entendit le clapotis de l'eau.

— Faites attention ! cria Darfass. C'est maintenant que les problèmes commencent.

Vouner glissa sur une partie inclinée. Ses jambes plongèrent dans l'eau. Quand il s'y fut enfoncé jusqu'aux hanches, il trouva le fond.

— C'est tout de suite plus profond, murmura Darfass.

Vouner l'entendit s'éloigner à la nage. Du mieux qu'il put, il attacha son radiant dans son serre-tête et se laissa glisser dans l'eau plus profonde. Darfass soufflait comme un hippopotame. Vouner suivit les bruits d'une nage calme et régulière. Une faible lueur pénétra à l'improviste. Quelque part au-dessus d'eux, il y avait un trou par lequel tombait la lumière des étoiles. Vouner ne pouvait pas apercevoir grand-chose, seulement le scintillement de la surface de l'eau et de vagues contours.

Et alors, le bruit que faisait le marchand en nageant cessa brusquement. Vouner avança encore un peu en remuant seulement les jambes pour rester à la surface.

— Darfass ! cria-t-il.

Tout resta silencieux. Le vieux s'était-il noyé ou lui avait-il tendu un piège ? La colère le prit. Sans la connaissance des lieux du marchand, il était irrémédiablement perdu ici en bas. Il ne voulut pas appeler car il eût ainsi trahi sa position.

Soudain il sentit de nouveau le sol sous ses pieds. Il s'arrêta un instant puis sortit de l'eau en pataugeant. Ses mains tâtonnantes trouvèrent une saillie de métal et il s'y accrocha. Ses vêtements mouillés et lourds pendaient sur son corps. Il tremblait de froid.

Instinctivement, il sentit une présence à proximité. Il retint son souffle mais il n'entendit que les gouttes d'eau qui tombaient de son corps. Vouner porta la main au radiant pour le détacher de son bandeau.

Il reçut alors un coup effroyable sur la nuque. La violence du coup le renversa. Il retomba dans l'eau. A demi étourdi par la douleur, il plongea, cherchant aveuglément à reprendre son souffle. L'eau lui entra dans le nez, dans la bouche et menaça de l'étouffer. Battant frénétiquement des bras, il revint à la surface. Alors quelqu'un se jeta sur lui et tira sur la chaîne de l'activateur. Vouner se débattit comme un fou. Il heurta un corps, sentit de l'étoffe sous ses mains et s'y agrippa solidement.

— Vous ne sortirez jamais d'ici, grogna Darfass en essayant de l'enfoncer sous l'eau.

Des douleurs insupportables inondèrent Vouner. Il perdit presque connaissance. Il s'accrocha toutefois solidement au marchand. Pendant un moment ils luttèrent avec acharnement jusqu'à ce que Darfass, perdant appui, glisse dans l'eau.

Vouner réussit à saisir le cou du vieux. L'Arra haleta

et s'ébroua quand il refit surface. Complètement épuisé, Vouner agrippa de ses deux mains le cou de Darfass. Le radiant avait coulé quelque part au fond de l'eau.

— Arrêtez ! parvint à articuler Darfass. Laissez-moi !

Vouner relâcha sa prise. La respiration difficile, tous deux se traînèrent hors de l'eau et s'écroulèrent à côté.

— Vous pensiez que c'était l'instant propice pour me voler l'activateur, hein ? dit Vouner d'une voix haineuse.

— Vous ne sortirez pas vivant d'ici !

— C'est à cause de l'activateur que vous vouliez m'assassiner.

Vouner ne semblait pas avoir entendu les paroles de l'autre.

— Je vous aurai, articula le marchand par saccades.

Après cela ils restèrent étendus sans bouger pendant un moment tandis que l'eau coulait de leurs vêtements. Finalement, Vouner réunit assez de forces pour pouvoir se lever et donner un coup de pied au vieux.

— Allez ! ordonna-t-il. On continue.

Darfass regimba mais Vouner le souleva. Le marchand se défendit et la lutte reprit. Darfass semblait voir dans l'obscurité car tous ses coups portaient. Soudain il plongea sous le Terrien et disparut dans l'obscurité.

— Vous allez mourir de faim ici, Terrien ! dit sa voix, quelque part.

Vouner se remit à courir. A tout instant il devait s'attendre à une nouvelle attaque du vieux.

Pendant un moment il progressa bien, la bande porteuse était le guide le plus sûr. Mais ensuite elle replongea dans un lac souterrain. Vouner s'arrêta.

Un éclat de rire moqueur retentit dans le tunnel. Il s'abattit sur Vouner en une cascade d'échos.

Darfass !

Il poursuivait sa guerre des nerfs contre Vouner. Ce dernier vérifia la chaîne de l'activateur. Elle n'avait pas souffert du combat. Rassuré, Vouner se glissa dans l'eau. A cet endroit elle était glacée. Un léger gargouillis se faisait entendre, comme si de l'eau suintait par un trou. Avec prudence, Vouner continua à nager.

Au bout de quelques minutes il heurta soudain une paroi rocheuse. Ses pieds ne purent toucher le fond. Il nagea le long du mur mais celui-ci ne semblait pas avoir d'ouverture. Vouner souffrait du froid. Il tenta de se hisser hors de l'eau et d'escalader les rochers mais partout il se heurtait à des surplombs rocheux qui l'empêchaient de continuer.

Il poursuivit désespérément ses recherches. Il devait y avoir un passage. Il refit son trajet en sens inverse, à la nage, et découvrit un étrésillon de la bande détruite.

La voie transporteuse descendait !

Vouner s'accrocha et réfléchit. Il ignorait qu'elle était la largeur de cet éboulement. Il ne savait qu'une chose : il lui fallait le franchir !

Il prit une profonde inspiration et plongea le long de l'étrésillon. Il sentit la pression croissante de l'eau. Sa cape s'accrocha quelque part mais il se libéra en l'arrachant. Un courant le saisit et il le suivit de bonne grâce. Les restes de la bande porteuse s'arrêtèrent inopinément. Vouner dut s'orienter.

Ses poumons torturés réclamaient de l'oxygène. La pression devint presque insupportable. Vouner exprima l'air. Ce n'est qu'avec peine qu'il parvint à éviter d'avaler de l'eau. Sa cage thoracique semblait ne pas vouloir résister plus longtemps à l'effort.

Il fila alors vers la surface. Sa tête émergea et il put respirer. Soulagé, il nagea plus loin.

— Vouner ! cria Darfass dans l'obscurité.

— Que voulez-vous ?

— Faisons la paix, proposa le marchand. Je crois que vous êtes un morceau beaucoup trop coriace pour un vieil homme.

Vouner nagea vers la voix. Ses pieds trouvèrent bientôt le fond. Il sortit de l'eau. Des mains le saisirent. Instinctivement il voulut se défendre.

— Sacrebleu ! cria Darfass méchamment. Je veux vous aider.

— Je ne crois pas que ce soit votre serviabilité qui vous a amené ici, dit Vouner d'une voix sourde. Vous pensez que c'est seulement près de moi que vous serez près de l'activateur. Et vous essaierez toujours de vous en emparer si vous voyez une chance.

— Je crois que tout le monde ferait de même, dit Darfass, calmement.

— Oui, approuva Vouner. Tout le monde.

Pendant quelques instants ils restèrent là, debout, dans l'obscurité. Puis Vouner reprit la parole :

— Il est temps que nous sortions d'ici.

— Venez, dit Darfass d'une voix cassée.

La dernière partie du tunnel s'avéra sans danger. Ici la voie porteuse était en majeure partie encore intacte. Puis ils se heurtèrent à un barrage. Vouner frappa des poings sur le métal.

— L'œuvre des dirigeants de la ville, expliqua Darfass. Mais notre organisation a déjà trouvé un autre chemin.

Ils longèrent la paroi métallique. Vouner entendait la main de l'Arra glisser sur la surface du barrage.

— Ici, dit finalement Darfass.

Il mit un bout de corde à nœuds dans la main de Vouner.

— A vous l'honneur !

— Non !

En jurant, Darfass lui arracha la corde des mains et s'élança vers le haut. Vouner tint le bas de la corde fermement. Il entendait le marchand grimper en haletant. Puis sa voix lui parvint d'en haut :

— Maintenant à vous, Terrien.

Vouner saisit la corde et se hissa. Avec les pieds il trouva appui sur la paroi métallique. Il monta plus vite qu'il ne l'aurait cru. Il atteignit une espèce de socle sur lequel Darfass, accroupi, le saisit.

Vouner sursauta involontairement quand l'Arra le toucha. Pendant un moment il crut que Darfass allait le pousser en bas. Mais le vieux le tira sur la saillie. Vouner lâcha la corde.

— Faites attention, le socle n'est pas très large.

Ils continuèrent à ramper sur ce sentier étroit.

— Voilà, murmura Darfass.

Vouner entendit un raclement et aussitôt après une lumière tomba sur eux.

Tout d'abord, les yeux aveuglés de Vouner ne virent que la tête du marchand, un vieux visage aux rides fortement accusées. Puis une fois accoutumé à l'éclairage, il aperçut aussi divers détails de son environnement. Ils étaient assis sur un rebord étroit qui n'avait pas plus de quarante centimètres de large. Darfass avait poussé une ouverture dans le barrage.

Quand Vouner regarda sur le côté, il ne vit que l'obscurité sans fond du tunnel. Darfass se glissa par l'ouverture. Il eut des difficultés à faire passer son ventre volumineux mais finalement il disparut complètement. En s'approchant, Vouner vit que l'organisation dont avait parlé Darfass avait percé un puits dans le sol derrière le barrage. La galerie d'environ cinq mètres de large conduisait en surface.

Vouner atteignit l'extrémité du puits. De l'air frais lui frappa le visage. Il sortit la tête et vit la mer.

Ils se trouvaient juste au-dessus de la côte, à cent mètres environ de la plage, dans une paroi rocheuse verticale. Vouner sortit complètement à l'air libre. Des oiseaux de mer qui nichaient dans les crevasses du rocher s'envolèrent en piaillant.

Darfass indiqua le bas.

— Là-bas se trouvait la véritable sortie de ce tunnel. Naturellement nous ne pouvions faire surface en cet endroit, c'eût été trop dangereux. (Son visage était bleu par le froid mais il souriait.) Ici, en haut, nous sommes à l'abri. En dehors des oiseaux, nul ne vient en ce lieu. A cinq cents mètres d'ici, vous pouvez apercevoir le tunnel le plus proche qui mène à Pasch.

Le vent emporta une partie de ses paroles mais Vouner en comprit le sens. Il tremblait de tous ses membres.

— Comment descendons-nous ?

— En s'accrochant au rocher. Un peu plus bas, là où vous voyez une saillie, il y a une petite caverne où nous pourrons changer de vêtements.

Une herbe rare, clairsemée, poussait ici en haut. Des graines que le vent avait amenées des parcs luttaient contre les forces de la nature pour survivre. Par endroits les rochers étaient blancs de fientes d'oiseaux. Plus loin, au large, Vouner vit un rocher se dresser dans l'eau. On aurait pu penser qu'on était quelque part sur la Terre.

Les doigts gourds, ils commencèrent la descente. De la terre et des fientes restèrent collées sur leurs vêtements humides. Darfass semblait déjà y être habitué car il progressait plus vite que Vouner.

Il vint alors à l'esprit du Terrien que dans la grotte où ils devaient soi-disant trouver des vêtements propres, il y avait aussi vraisemblablement des armes. Il se hâta de rattraper le marchand. Ils arrivèrent ensemble à l'entrée bien camouflée de la caverne.

Vouner saisit le vieux par l'épaule.

— Pas si vite, dit-il. Restez à côté de moi.

Ils rampèrent par le trou. Darfass mit la main dans une niche et en sortit une lampe. La grotte fut éclairée. Le sol était recouvert de plastique propre.

— Les vêtements sont là-bas, dit Darfass en se dirigeant vers une armoire.

D'un geste rapide, Vouner tordit le bras du marchand.

— Doucement, ordonna-t-il. Je vais ouvrir.

Il tira sur la porte. A l'intérieur se trouvait un assortiment d'armes.

Vouner poussa Darfass au milieu de la caverne, Darfass cria et ses yeux se rétrécirent de déception et de fureur.

Vouner sortit un radiant et le pointa sur le sol. Il tira un coup. Le radiant était chargé. Darfass s'écarta.

Vouner glissa l'arme dans sa cape.

— L'habit fait le moine, dit-il, railleur.

Le marchand se releva avec résignation. Tandis que Vouner se tenait derrière lui et le menaçait de son arme,

Darfass ouvrit la caisse de vêtements. Le Terrien choisit un pantalon confortable et une veste épaisse. Darfass préféra en rester au costume traditionnel.

Ils mangèrent et burent en puisant dans les stocks de la caverne. Vouner se douta que tout cela appartenait à une organisation de contrebandiers. Mais ce n'était pas son affaire. Son seul objectif c'était de parvenir à Doun avec l'activateur.

Quand ils se retrouvèrent devant la caverne, Vouner montra la côte en bas.

— A qui appartiennent ces bateaux là-bas ?

— A un vieux pêcheur nommé Kler-Basaan.

— Conduisez-moi chez lui.

Vouner savait qu'il devait traverser la moitié de la planète s'il voulait parvenir à Doun. Et avec les moyens dont il disposait, c'était une distance énorme. Jusqu'alors il avait réalisé l'incroyable, stimulé par un petit appareil sur sa poitrine.

Hendrik Vouner était maintenant devenu un calculateur froid, cynique et sans scrupule. Il n'hésiterait pas à se servir des autres sans aucune inhibition, pour ses plans.

Mais l'activateur cellulaire attirait les hommes comme une charogne attire les vautours sur la Terre. Vouner se doutait qu'il ne parviendrait à Doun qu'au prix des plus grandes difficultés.

Tous ceux qui l'aidaient, essaieraient tôt ou tard de lui voler l'activateur.

Un immortel n'avait que des envieux, pas d'amis.

Vouner se demandait comment Darfass avait fait pour trouver aussitôt la bonne cabane parmi toutes celles, si semblables, qui se trouvaient sur la plage.

— Kler-Basaan habite là-bas, dit Darfass en montrant au Terrien le panneau rond au-dessus de l'entrée. Le pêcheur est un original. Cela dépend de son humeur que vous obteniez ou non un bateau.

Il n'y avait guère d'Arras sur la plage. Personne ne se soucia des deux hommes.

— En cette saison, la mer est toujours agitée, dit Darfass.

Ils avaient atteint la cabane. Darfass frappa et entra. Vouner posa la main sur son arme et le suivit. Dans la pièce où ils pénétrèrent, il faisait une chaleur agréable.

Le vieux pêcheur, debout près de la fenêtre, regardait la mer. Puis il se retourna et fit un signe de tête aux arrivants. Un regard inquisiteur frappa Vouner.

— Asseyez-vous, dit Kler-Basaan.

Il attendit que les deux hommes aient pris place puis il sortit quelques poissons séchés d'un tiroir sous la table.

— Il y a longtemps que nous ne nous sommes vus, dit-il à Darfass.

— Je peux affirmer moi aussi la même chose, dit une voix dure depuis la porte de la pièce voisine.

Vouner se retourna mais avant qu'il n'ait pu sortir son arme, Hefner-Seton lui enfonça une arme à neutrons dans les côtes.

— Vous y êtes parvenu, dit-il d'un ton élogieux. Vous êtes effectivement arrivé jusqu'à Pasch !

Vouner se mit à trembler.

— C'est une longue route que vous avez parcourue, dit Hefner-Seton. Mais maintenant vous êtes arrivé au bout du chemin.

CHAPITRE IX

Sorgun s'éveilla et sentit aussitôt la faim, la soif et la fatigue revenir. Il sortit en rampant de sous les buissons. Cela faisait maintenant des jours qu'il errait dans les parcs. Il vivait comme une bête, volait dans les mangeoires et buvait aux fontaines.

Depuis longtemps il savait que Hefner-Seton l'avait dupé. Mais jusqu'alors la peur d'un sévère châtiment l'avait empêché de se rendre aux équipes de recherches.

Sorgun se passa les deux mains sur son visage négligé. Lentement il se dirigea vers la fontaine qui émergeait, telle une ombre grise, de la brume matinale.

Ses pieds traînaient sur l'herbe. Il arriva près de la fontaine, se pencha et laissa l'eau couler dans le creux de ses mains. Il se sentait comme étourdi. Il avait le cou raidi par le froid nocturne. Il se frotta le visage avec de l'eau et but un peu. Il ne put s'empêcher de tousser.

Quand il se redressa, trois soldats couraient autour de la fontaine.

— Halte ! crièrent-ils.

Sorgun se figea. Les épaules pendantes, il attendit les hommes. Sans résister il se laissa lier les mains dans le dos.

— Etes-vous un des membres de l'équipage du *Kotark* ? demanda l'un des soldats.

— Je suis une nullité, dit Sorgun d'une voix sourde.

Il reçut un coup dans le dos et chancela sur l'herbe humide, devant ses gardes.

161

CHAPITRE X

Tabes, le Grand Orateur du Conseil des Médecins d'Arralon, examinait sans émotion l'astronaute assis devant lui sur une chaise. Il gifla deux fois l'homme à demi inconscient.

Sorgun ouvrit les yeux et regarda Tabes sans comprendre.

Le Grand Orateur s'adressa au Médecin debout derrière lui :

— Il ne fait aucun doute que cet homme a dit la vérité sous l'effet de la piqûre, n'est-ce pas ?

— Aucun doute, répondit le Médecin, déférent.

Tabes était un homme grand, mince comme un échalas, avec une envie sur la joue droite. Son crâne chauve luisait à la lumière. Ses yeux brillaient d'un éclat doré. Il paraissait d'une intelligence supérieure à la normale.

— Je comprends la signification de ses déclarations, dit-il. Quelque part sur Arralon il y a un activateur cellulaire. Fantastique !

Il joignit le bout des doigts.

— Il sera difficile de le trouver, dit le Médecin.

— Il a vraisemblablement changé plusieurs fois de propriétaire. Le Terrien ne devrait guère l'avoir encore en sa possession.

Tabes réfléchit. Il y avait peu de chance que Hefner-Seton, le commandant du *Kotark*, fût en possession de l'appareil. Le Terrien et Hefner-Seton avaient sans doute été assassinés par quelqu'un d'autre. Le Grand

Orateur regarda Sorgun complètement épuisé. Que devait-il faire maintenant ? Dès qu'il informerait le Conseil des Médecins, il y aurait des querelles. Tabes était un homme d'expérience. Il pressentait que des rafles à grande échelle ne donneraient pas le résultat souhaité.

Bientôt, toute la population d'Arralon saurait que le Conseil des Médecins était à la recherche d'un activateur cellulaire. Ce serait le début de la fin car chacun se sentirait appelé à participer à la chasse.

De cette manière l'activateur serait ou détruit, ou il tomberait dans les mains de criminels.

Il était tout à fait absurde de se livrer à des recherches de grande envergure. Il apparaissait beaucoup plus sûr au chef suprême, de faire intervenir ses meilleurs agents ; ils travailleraient sans bruit, sans attirer l'attention. Tabes décida de mettre douze hommes sur l'affaire.

Il fit un petit geste.

— Emmenez-le, ordonna-t-il au Médecin.

L'homme releva Sorgun.

— Que va-t-il m'arriver ? demanda l'astronaute, anxieux.

Tabes haussa les épaules. Cet homme était tout à fait négligeable mais il était au courant de l'activateur et Tabes voulait éviter que le cercle des personnes informées ne s'élargisse trop. Il fit un signe de tête au Médecin. Sorgun parut comprendre car il se débattit violemment quand on l'emporta hors de la pièce.

Il disparut quelque part à l'intérieur du gigantesque bâtiment, entre des couloirs obscurs et des corridors vides. Il mourut solitaire dans une petite chambre, sans bruit et sans être pleuré par quiconque.

Quand le Médecin eut quitté la pièce avec le prisonnier, Tabes brancha le visiophone. Il se fit relier à un canal privé. L'écran dépoli s'alluma et peu après le visage ennuyé d'un Arra apparut.

— Il y a du travail, Uwasar, dit Tabes.

— Il y en a toujours, répondit Uwasar.

— Venez immédiatement me voir avec onze de vos meilleurs hommes. Il s'agit d'une mission spéciale urgente.

— Vous passez encore une fois par le canal privé. Le Conseil des Médecins n'a donc pas été informé de cette opération ?

— Non ! (Un léger sourire apparut sur le visage de Tabes.) Vous en apprendrez bientôt les raisons.

Tabes raccrocha et s'appuya en arrière dans son fauteuil. Il devait être prudent. Uwasar était un génie. Dès qu'il aurait l'activateur, il serait difficile de lui reprendre l'appareil. Dans un tel cas, même l'autorité d'un Grand Opérateur ne servirait pas à grand-chose. Tabes décida de se couvrir de tous côtés pour ôter à Uwasar toute possibilité de le duper. L'homme le plus puissant d'Arralon était un froid calculateur.

Uwasar et la prudence, cela signifiait l'activateur cellulaire, et celui-ci, à son tour, signifiait l'immortalité.

L'immortalité pour Tabes, le Grand Orateur du Conseil des Médecins d'Arralon.

CHAPITRE XI

Tout mouvement à l'intérieur de la petite pièce s'était figé. Seul le grondement de la mer entrait par la fenêtre entrouverte. Il semblait que les quatre hommes se tenaient à cet endroit depuis des temps immémoriaux, comme paralysés par une mystérieuse catastrophe.

Kler-Basaan dit alors d'une voix calme :

— J'ai déchargé l'arme.

Plusieurs choses se produisirent en même temps. Hefner-Seton appuya sur la détente mais rien ne se produisit. Darfass voulut sauter sur Vouner mais le Terrien s'était déjà remis du choc et avait sorti son propre radiant.

Le vieux pêcheur se leva.

— Il y a deux jours, j'ai dû lui fournir le pistolet à neutrons. J'ai aussitôt compris que quelque chose n'allait pas chez cet homme. (Il montra Hefner-Seton.) On n'a pas besoin d'une arme quand on attend un ami. J'ai donc déchargé le pistolet pour éviter toute effusion de sang.

Une déception sans bornes se refléta sur le visage de Hefner-Seton ; elle fit place peu à peu à une expression de rage folle.

— Il y a un activateur cellulaire ! cria-t-il après Kler-Basaan. Savez-vous seulement ce que ça signifie, vieil imbécile ?

Vouner regarda Darfass.

— Ouvrez la fenêtre pour qu'il puisse jeter le pistolet dehors, ordonna-t-il.

Le marchand obtempéra et Hefner-Seton s'exécuta. Vouner s'adressa à Kler-Basaan :

— J'ai besoin de votre plus grand bateau.

Les yeux du pêcheur se posèrent sur Vouner. Le vieil homme avait vécu, calme et solitaire, mais ils avaient porté la lutte pour l'activateur dans sa cabane.

— Pour quoi faire ?

— Je dois aller de l'autre côté de l'océan. A Doun !

Le visage du vieux s'éclaira brièvement.

— Ne voyez-vous pas qu'il est fou ? cria Hefner-Seton. Il est complètement cinglé !

— Il n'y a qu'un seul bateau qui y parviendrait, dit Kler-Basaan, rêveur. Le *Burast.*

Vouner vit qu'il avait éveillé l'intérêt du vieil homme.

— Sans équipage vous n'y parviendrez pas, poursuivit Kler-Basaan. Vous devez avoir au moins deux marins expérimentés avec vous. Mais je ne sais qui s'y entend encore en navigation sur Arralon, excepté moi.

— Ne voyez-vous pas de quoi il retourne ? demanda Darfass. Ce Terrien possède un activateur cellulaire. Il veut gagner Doun pour rejoindre la base de l'Empire avec l'appareil. Si vous le soutenez dans ce projet, vous serez passible d'une peine. L'activateur appartient au Conseil des Médecins d'Arralon.

Kler-Basaan dit d'un ton railleur :

— Aucun de vous ne donne l'impression de représenter les intérêts du Conseil des Médecins. Je crois que chacun de vous ne représente que ses propres intérêts égoïstes.

Les poings serrés, le marchand fit un pas vers Kler-Basaan.

— Mais vous savez vous-même qu'il est impossible de traverser l'océan avec l'un de ces bateaux.

— Difficile... pas impossible.

— Cessez d'influencer le vieil homme ! avertit Vouner.

— Vous avez déjà un membre d'équipage, dit Kler-

Bassan au Terrien. Cela fait des années que j'attends une telle occasion.

Hefner-Seton s'empourpra.

— Mais il fait cause commune avec ce type ! s'écriat-il furieux.

Impassible, Vouner montra Darfass et l'astronaute avec le canon de son arme.

— Voici le reste de notre équipage. Nous n'aurons même pas à les forcer à nous accompagner car ils sont très intéressés à rester près de l'activateur. Nous pouvons donc commencer aussitôt à armer le bateau.

Vouner sentait que le pêcheur ne lui manifestait aucune sympathie et qu'il ne semblait pas non plus intéressé par l'activateur. Seule la perspective d'une traversée périlleuse paraissait l'enthousiasmer.

— Le *Burast* n'est qu'un bateau de plaisance comme tous les autres, intervint encore une fois Darfass. Nous ne pouvons pas ris...

Vouner visa rapidement et tira juste devant la tête de Darfass. Un trou gros comme la main se forma dans le mur derrière le marchand. Darfass pâlit et se tut.

— Je m'oppose à toute violence, dit Ker-Basaan, irrité, à Vouner. Mettez-vous cela dans la tête.

Vouner frappa du poing sur la table et les poissons séchés sautèrent.

— C'est moi qui donne les ordres, gronda-t-il. Occupez-vous de l'aspect maritime de la chose, je me charge du reste.

Hefner-Seton voulut dire quelque chose mais le regard menaçant de Vouner le fit taire. Vouner savait que son plan reposait entièrement sur Kler-Basaan. Mais le vieux était tellement emballé par cette longue traversée qu'il accepterait les ordres de Vouner.

— Darfass et Hefner-Seton seront gardés prisonniers dans la pièce voisine jusqu'à ce que le *Burast* soit prêt à appareiller, décida Vouner. Il est préférable que nul ne quitte la maison à l'exception de Kler-Basaan.

— Faites-vous donc montrer une carte, cria Darfass. Vous devez au moins voir en quoi consiste votre projet.

— Bonne idée! dit Kler-Basaan. Je vais aller chercher une carte marine. (Il regarda Vouner.) Croyez-vous vraiment que notre équipage sera bien dans la pièce d'à côté?

— Avez-vous une meilleure proposition?

— Le *Burast.* Nous les conduisons en chaloupe au mouillage du *Burast* et nous les enfermons là-bas jusqu'à ce que nous ayons terminé nos préparatifs.

— D'accord.

Prisonniers dans le bateau, les deux Arras n'auraient pas la possibilité de se mettre en liaison avec le monde extérieur.

L'arme au poing, Vouner força Darfass et l'astronaute à quitter la cabane avec Kler-Basaan et lui. Ils descendirent vers le rivage désert. Kler-Basaan les conduisit vers la chaloupe qu'il avait sur la plage. Ensemble ils la poussèrent dans l'eau et y montèrent. Kler-Basaan mit le moteur hors-bord en route et ils s'éloignèrent du rivage.

Le vent fouettait le visage de Vouner, debout à l'arrière de la chaloupe près du pêcheur qui tenait la barre. Hefner-Seton et le marchand étaient accroupis à l'avant.

L'énervement faisait battre le pouls de Vouner plus vite. Sorgun mis à part, il tenait tous les hommes au courant de l'activateur. Avec un peu de chance, il pourrait bientôt atteindre Doun.

Le canot tanguait. Hefner-Seton jura quand l'eau passa par-dessus la proue et se déversa à l'intérieur.

Ils abordèrent le *Burast* et escaladèrent l'échelle. Vouner monta le dernier.

— Venez! le pressa Kler-Basaan. Vous pourrez passer l'inspection plus tard.

Ils enfermèrent les deux hommes dans une cabine et retournèrent à terre.

— Avez-vous de l'argent? s'enquit Kler-Basaan.

— Non.

Le vieux amarra solidement le canot.

— Le mien ne suffira pas pour l'armement complet.

(Kler-Basaan secoua la tête d'un air de regret.) Peut-être pourrai-je obtenir du crédit en ville.

Vouner regarda la falaise côtière.

— J'ai une idée, dit-il. Allez en ville. Rapportez tout ce que vous pourrez obtenir ; entre-temps je vais jeter un coup d'œil par ici.

Kler-Basaan l'examina avec méfiance.

— Qu'il ne vous vienne pas à l'idée de dévaliser les cabanes de mes amis.

— Sottise ! le rassura Vouner. Je ne projette rien de tel.

Le vieux se mit en route. Vouner le suivit un instant du regard puis il fit demi-tour. Dans la caverne où Darfass l'avait conduit, il trouverait certainement bien des choses dont ils avaient besoin. Mais le marchand ne serait certainement pas très content quand Vouner surgirait à bord du *Burast* avec les biens du pool de contrebandiers.

En cet instant, Vouner ne pouvait deviner qu'il ne reverrait ni Darfass, ni Hefner-Seton.

CHAPITRE XII

Uwasar avait choisi de procéder sans détours, considérant cela comme la méthode la plus fructueuse. Le chef des services secrets savait qu'il intimidait les gens. Il renforçait l'impression produite par un visage sévère et des décisions impitoyables.

Ainsi donc, au lieu d'écarter le rideau de la boutique de Darfass, il l'arracha d'une poigne ferme. Sans hésiter ne fût-ce qu'une seconde, il entra en piétinant le rideau. Un petit homme sortit de derrière le comptoir. D'un geste impérieux, Uwasar signifia à ses compagnons de fouiller les lieux à fond.

— Etes-vous le propriétaire ? demanda-t-il d'un ton cassant en tenant sa carte d'identité sous le nez du petit homme.

— Non, bégaya l'homme.

— Le gérant ?

— La boutique appartient à Darfass, s'empressa de dire le petit bonhomme.

Il rougit. Il paraissait bouleversé.

— Où est-il ?

Deux de ses hommes sortirent de la pièce de derrière et secouèrent la tête en silence. Uwasar montra le sol du doigt. Ses compagnons se mirent à chercher une pièce souterraine à l'aide de leurs détecteurs sensibles.

— Il est malade, expliqua le remplaçant de Darfass qui fit un pas vers Uwasar. Je n'ai rien à voir avec quoi que ce soit. Je gère les affaires de...

170

— Silence !

— Ici ! cria l'un des hommes d'Uwasar. Ici en dessous il doit y avoir une salle.

Le chef des services secrets inclina la tête comme s'il ne s'était attendu à rien d'autre. Il fronça ses noirs sourcils et frappa violemment le petit homme.

— Allez ! ordonna-t-il. Ouvrez !

En tremblant, l'homme se dirigea vers la trappe et ouvrit la cave de Darfass. On entendit jusque dans la boutique les gémissements des pouners dérangés dans leur sommeil. Uwasar tendit l'oreille.

— Lumière ! grogna-t-il.

Un agent secret passa devant avec une puissante lampe. Uwasar saisit le petit homme par le bras et lui fit descendre l'escalier en le tirant derrière lui. L'agent à la lampe éclaira les cages. Uwasar jura, déçu.

Une minute plus tard, ils découvrirent les vieux vêtements de Vouner.

Une autre minute plus tard, ils apprirent par le remplaçant du marchand que Darfass était parti pour Pasch en compagnie d'un Terrien.

Uwasar poussa l'homme et lui fit remonter l'escalier.

— Vous êtes arrêté ! Présentez-vous au bureau de police de l'astroport !

Uwasar regarda l'heure. Comme toujours il travaillait vite, avec sûreté et succès. Cette affaire ne présentait aucun problème pour lui et ses hommes. Il montra les glisseurs stationnés devant la boutique.

— A Pasch !

CHAPITRE XIII

Vouner rassembla tous les outils qui lui paraissaient appropriés et les mit dans un sac solide. Il se dit qu'il ne pouvait y avoir d'inconvénient à améliorer un peu son armement. Il choisit un petit pistolet à roquettes explosives et ajouta deux couteaux dans le sac.

L'équipement de la caverne était considérable, compte tenu des circonstances. Ici il y avait pratiquement tout ce qu'il pouvait désirer. Il remplit un petit sac de concentrés de nourriture les plus divers. Kler-Basaan ramènerait sans doute en priorité les choses importantes pour la navigation.

Il fallait espérer que le vieux ne commettrait pas l'erreur de se vanter, à Pasch, de l'entreprise projetée. Vouner n'avait aucune envie de voir quelques curieux se rassembler sur la plage.

Il remplit le sac, le ferma et l'attacha à une grosse corde. Comme il serait difficile de porter le sac, il voulait le faire descendre en rappel et ensuite descendre lui-même la pente.

Vouner traîna le sac devant l'entrée de la caverne. Il regarda en bas sur la plage. D'en haut, le *Burast* faisait l'effet d'un jouet. Le petit canot de Kler-Basaan n'était qu'une tache sombre sur le rivage. La cabane du pêcheur était solitaire et abandonnée.

Kler-Basaan n'allait plus tarder à revenir de la ville. Vouner amena le sac au bord de l'escarpement. Il attacha l'extrémité de la corde autour d'un gros rocher et commença à faire descendre le sac. A un moment celui-ci resta accroché à un rocher mais Vouner parvint à le libérer.

Puis les provisions rassemblées atterrirent sur le plateau qu'il avait choisi comme station suivante. Vouner détacha la corde et s'apprêta à descendre.

C'est alors que sur la plage il vit surgir une silhouette minuscule qui se dirigeait vers la cabane de Kler-Basaan. Le vieux revenait déjà. Apparemment il était lourdement chargé.

Vouner attendit que Kler-Basaan ait disparu dans sa cabane. Mais avant qu'il n'ait pu commencer à descendre, un glisseur surgit. Vouner se figea. Il ne fallait pas être sorcier pour deviner le lieu d'atterrissage probable de l'appareil : la plage.

Vouner se mordit les lèvres. Naturellement il pouvait y avoir une explication tout à fait anodine à l'apparition du glisseur. Mais il était plus vraisemblable que Kler-Basaan l'avait trahi.

Mais pourquoi ? Peut-être involontairement ? Vouner se félicita de n'avoir pas parlé de la caverne au pêcheur.

Les yeux plissés, il regardait en bas vers le rivage. Quel que fût le pilote du glisseur, il semblait être assez pressé.

Avec opiniâtreté, Vouner suivit les événements. Le glisseur se posa près de la cabane de Kler-Basaan. Un nuage de sable jaillit. Six hommes sautèrent de l'appareil, puis encore deux autres.

Vouner regretta de ne pas avoir trouvé d'instrument d'observation dans la caverne. Les hommes du glisseur se dirigèrent vers l'un des bâtiments. Trois d'entre eux attendirent au-dehors tandis que cinq entraient. Avec soulagement, Vouner constata que l'habitation de Kler-Basaan ne semblait manifestement pas être l'objectif de ces hommes. Mais ceux-ci ressortaient déjà de la cabane. L'un d'eux fit un signe à ceux qui attendaient.

Tous se mirent en route. En file indienne, ils s'avancèrent sur la plage, comme des marionnettes obéissant à une main invisible. Vouner siffla entre ses dents.

Les huit hommes se dirigeaient maintenant vers la maison de Kler-Basaan.

Vouner pouvait littéralement sentir le danger. Au cours des derniers jours il avait développé cet instinct du danger.

De nouveau, trois hommes restèrent dehors tandis que les autres entraient chez Kler-Basaan. Légèrement appuyé contre le rocher, Vouner observait les événements en bas. Dans quelques instants il saurait si ces hommes n'effectuaient que des contrôles de routine ou s'ils étaient à sa poursuite.

En son for intérieur, Vouner n'espérait déjà plus pouvoir s'enfuir à bord du *Burast.* Les cinq hommes ressortirent, poussant le vieux pêcheur devant eux. Vouner se mordit les lèvres. Il ne ressentait pas de pitié pour Kler-Basaan, seulement une haine folle pour ces hommes sur la plage.

Kler-Basaan fut traîné jusqu'au rivage. Avec les huit hommes il mit le petit canot à l'eau. Les cinq qui étaient entrés dans la cabane montèrent avec lui dans la petite embarcation. Aussitôt celle-ci fila à la surface agitée de la mer, vers le *Burast.*

Les hommes sur la plage ne restèrent pas inactifs. Il était manifeste qu'ils cherchaient quelqu'un.

Vouner savait que chaque seconde qu'il perdait en restant là, augmentait ses risques de capture. La route de Doun par la mer lui était barrée.

Il ne voyait aucune chance de parvenir à Doun par la voie des airs. Si l'on connaissait maintenant son existence, on avait certainement pris des mesures de sécurité pour contrôler de très près tout voyageur empruntant les transports aériens. La possibilité d'atteindre Doun comme passager clandestin lui apparaissait extrêmement faible.

Non, ni la mer, ni les airs ne promettaient le succès.

Vouner était acculé. Il se décida à faire une ultime tentative, une tentative désespérée.

Il essaierait de gagner Doun par le grand transmetteur.

174

CHAPITRE XIV

Les oiseaux de mer sur le bastingage du *Burast* s'envolèrent en piaillant quand Uwasar monta à bord avec ses compagnons. D'un regard triste, Kler-Basaan le regarda ouvrir d'un violent coup de pied, la porte descendant aux cabines.

Le pêcheur était un vieil homme, sa seule richesse c'était les bateaux mais comme plus personne ne s'y intéressait, c'était une richesse qui n'avait de valeur que pour lui-même. Sans comprendre, Kler-Basaan les regarda détruire son bien sans ménagement. Il descendit l'escalier derrière Uwasar et ouvrit la cabine dans laquelle Darfass et Hefner-Seton étaient prisonniers.

Les deux Arras s'étaient levés d'un bond. Uwasar pénétra dans la cabine et les examina d'un regard froid. Ses yeux s'arrêtèrent sur Hefner-Seton. Un léger sourire apparut sur son visage. Il sortit une photographie.

— Hefner-Seton, dit-il. Le commandant déserteur du *Kotark*.

— Qui êtes-vous ? demanda Hefner-Seton.

— C'est moi qui pose les questions ! dit Uwasar d'un ton incisif. En tant qu'officier vous savez quel châtiment vous attend. J'exige de vous des renseignements précis sur l'activateur cellulaire. Est-il exact qu'il se trouve encore au cou du Terrien qui était à bord du *Kotark* quand celui-ci a atterri ?

— Oui, acquiesça Hefner-Seton, résigné.

Si Uwasar fut surpris, il ne le montra pas. Un homme de sa réputation ne devait pas manifester d'étonnement.

Mais il se demandait comment il se faisait que le Terrien ait pu se rendre de Forungs à Pasch avec un bien aussi précieux. Et pas seulement ça mais cet homme courait encore quelque part, en liberté.

Uwasar avait toujours été convaincu qu'un agent devait connaître tous les détails d'une affaire s'il voulait réussir. Il se fit donc relater en détail l'histoire de Vouner par l'ex-commandant du *Kotark*.

— Le reste vous l'apprendrez par lui, dit Hefner-Seton pour terminer en montrant Darfass. Le marchand a amené Vouner à Pasch.

Uwasar tourna son attention vers le contrebandier.

— Vous n'êtes pas un inconnu pour notre organisation. Votre boutique est répertoriée dans nos dossiers. Je me souviens que vous nous avez souvent fait parvenir de précieuses informations. C'est pourquoi votre commerce illégal de pouners a été toléré.

A ces paroles, Darfass reprit espoir et l'expression de son visage s'anima un peu.

— C'est exact, dit-il. Je me suis toujours efforcé d'avoir de bonnes relations avec les autorités officielles.

— Pour des motifs purement égoïstes, naturellement. Mais cette fois-ci vous avez pris un peu trop de risques. Au moment voulu vous aurez à en répondre. Votre magasin sera fermé.

Darfass s'effondra. Le Terrien ne lui avait apporté que le malheur. Maintenant il devait s'attendre à être déporté sur une planète-bagne. Il ne pouvait qu'espérer que quelques-uns de ses amis qui exerçaient de hautes fonctions, l'aideraient. Mais les services secrets étaient une puissante organisation dépendant directement du Conseil des Médecins et du Grand Orateur. Si les agents le chargeaient, nul ne pourrait l'aider.

Uwasar faisait les cent pas dans la cabine. Ses compagnons s'étaient rassemblés près de la porte. Leur réserve faisait partie de la mise en scène. Elle soulignait la puissance d'Uwasar.

— Aucun des hommes présents ne sait donc où se cache actuellement le Terrien, dit Uwasar. Bon d'accord, il est fort possible que ce soit vrai. Aucun de vous n'a de raison particulière de soutenir Vouner. Il ne peut pas être loin d'ici. Il a peut-être vu notre glisseur et en aura tiré la conclusion logique. Sans doute a-t-il déjà repris la fuite.

Il s'arrêta.

— Darfass, racontez-moi votre voyage. Chaque détail compte. Nous trouverons certainement des indices sur l'endroit où nous devons chercher cet homme.

Darfass n'eut d'autre solution que de dévoiler les passages secrets de son organisation. Mais Uwasar ne se montra pas particulièrement surpris. Il attendit calmement que Darfass ait terminé.

— Jusqu'à nouvel ordre, vous êtes tous arrêtés, dit-il ensuite. Gesan va vous emmener.

— Mais je n'ai rien fait de mal, dit Kler-Basaan. Pourquoi me faites-vous arrêter ?

Uwasar ne répondit pas. Il voulait s'assurer qu'aucune autre personne ne serait informée de l'existence de l'activateur cellulaire. Il ne pouvait y parvenir qu'en faisant emprisonner tous ceux qui avaient eu affaire avec Vouner.

Il ne pouvait toutefois pas encore arrêter le personnage principal.

Hendrik Vouner courait toujours.

Mais cet homme était étranger sur Arralon. Il ne pouvait accomplir de miracles. Tôt ou tard, la chance l'abandonnerait. Jusqu'alors il n'avait été poursuivi que par des amateurs. Uwasar claqua des doigts. Dès à présent, la chasse se ferait avec méthode.

Quand Uwasar quitta le *Burast,* son corps nerveux s'était raidi. Depuis longtemps il attendait l'occasion d'améliorer sa situation. Il lui fallait réussir à faire pression sur le Conseil des Médecins et surtout sur Tabes.

L'activateur cellulaire convenait parfaitement. Uwasar aspirait à la puissance. Il était ambitieux et entreprenant.

S'il voulait un jour acquérir une plus grande influence, Hendrik Vouner était alors la clef du succès.

L'agent secret se tenait debout sur la plage tandis que les hommes attachaient le canot. Gesan s'éloigna avec les prisonniers. Kler-Basaan s'en tirerait vraisemblablement sans condamnation. Darfass, le rusé marchand, pourrait encore une fois sauver sa peau. Mais il en allait autrement pour Hefner-Seton. Il était arrivé au terme de sa carrière.

La destinée de l'astronaute ne servit pas d'avertissement à Uwasar.

La puissance n'avait sa place que dans les mains des hommes qui savaient s'en servir.

Uwasar faisait un mauvais rêve mais il n'en était pas conscient. L'histoire de toutes les planètes habitées montrait qu'un homme qui avait pris le pouvoir par la force, ne restait pas longtemps en position dirigeante.

— Il va essayer de s'introduire en fraude dans une fusée commerciale pour Doun, dit Uwasar à ses hommes rassemblés autour de lui sur la plage. On le découvrira alors. Nous devons seulement être sur place à temps afin que l'activateur ne disparaisse pas. En tout cas nous allons chercher le Terrien dans Pasch.

La chasse à Vouner et à son activateur était entrée dans sa phase décisive.

178

CHAPITRE XV

Quand Hendrik Vouner quitta la zone côtière par l'un des innombrables tunnels, il n'avait pas encore d'idée précise sur la manière dont il pourrait atteindre le transmetteur. Il croyait que la moitié de la ville était au courant de son existence et le pourchasserait dès qu'on le reconnaîtrait.

A chaque fois que quelqu'un venait vers lui, il se glissait rapidement dans l'une des niches aménagées de part et d'autre de la bande transporteuse. Comme Terrien, il devait nécessairement attirer l'attention des habitants de Pasch bien qu'il y eût certainement d'autres hommes de Sol III dans la ville côtière.

Cette pensée donna une idée à Vouner. Il devait entrer en liaison avec un autre Terrien. Ce n'était qù'auprès de l'un de ses congénères qu'il pouvait escompter de l'aide. Et il pourrait apprendre où était installé le transmetteur.

Vouner atteignit le centre ville aux heures de la plus grande affluence. Les rues étaient animées d'une vie fébrile. Les enseignes lumineuses des entreprises rivalisaient pour obtenir la faveur des acheteurs qui affluaient en groupes dans la ville.

Vouner se dirigea vers une station de taxis. Au centre ville, il n'y avait pas de bandes transporteuses car la circulation pouvait se faire dans pratiquement toutes les directions. Les bâtiments étaient construits en îlots circulaires et les rues en faisaient le tour.

A son grand soulagement, on ne fit pas attention à lui. Près de la station de taxis, une agence de voyages interplanétaires vantait les vols pour la Terre. Vouner jeta un regard aux photographies.

L'Amérique du Sud, la Floride, l'Espagne, la mer bleue, un ciel sans nuages et les visages d'hommes enjoués alléchaient les clients. A l'intérieur, un Arra regarda Vouner et lui sourit. Vouner se détourna. Il chercha le dernier argent qui lui restait et monta dans l'un des taxis qui attendaient. Quand il eut payé l'automate, la voix mécanique du robot-conducteur demanda :

— Où voulez-vous aller ?

— Conduisez-moi à proximité du grand transmetteur et arrêtez-vous dans un endroit calme.

Il fut agacé d'avoir voussoyé le robot mais dans son état d'énervement, de telles erreurs pouvaient se produire. Le véhicule sortit sans bruit de la file et se joignit au flot de la circulation.

Avec un soupir, Vouner s'enfonça dans les coussins. Magasins, visages, enseignes lumineuses, images, véhicules, tout défilait devant lui. Ils passèrent devant deux policiers mais ceux-ci ne firent pas attention au taxi.

En cet instant, la chasse devait commencer sur la plage.

La circulation diminua un peu. Puis le taxi s'arrêta non loin d'un énorme édifice.

— Nous sommes arrivés, dit le robot.

La porte s'ouvrit et Vouner descendit. Le taxi s'éloigna quand le monnayeur automatique eut rendu la monnaie à Vouner. Le Terrien fit sonner les pièces dans sa main en observant le bâtiment qui abritait apparemment le transmetteur.

Il vit aussitôt qu'il ne pourrait jamais y pénétrer par des voies légales. L'entrée était dotée d'une double barricade. L'une était occupée par des robots, l'autre par des Arras.

Vouner traversa la rue. De ce côté-là se trouvaient diverses entreprises de transport qui travaillaient avec l'administration du transmetteur. Sur l'un des panneaux, Vouner lut un nom terrien.

« Spencer Legarth », annonçait une inscription lumineuse verticale. « Commissionnaire. »

Vouner franchit la porte désuète et entendit un léger timbre de cloche. Il n'y avait pas de comptoir, seulement trois chaises et une table. Sur la table étaient posés les derniers numéros d'un journal local en intergalacte. Vouner fut tenté d'en saisir un pour voir si l'on parlait de lui.

La porte du fond s'ouvrit alors et une jeune fille en sortit. C'était une Terrienne au visage anguleux et aux cheveux relevés. Le fait qu'un Terrien ait pénétré dans le bureau ne parut pas la surprendre. Elle regarda Vouner sans grand intérêt.

— Que puis-je faire pour vous ? demanda-t-elle après l'avoir salué.

Quelque chose dans les yeux de Vouner parut lui faire perdre son assurance. Il évitait de la regarder directement.

— J'aimerais parler à M. Legarth.

Elle prit un calepin sur une étagère et se mit à le feuilleter.

— Aviez-vous rendez-vous ?

— Non.

— Je peux très bien enregistrer toute commande.

Vouner ravala une réponse furieuse et déclara avec impatience :

— Je veux voir M. Legarth.

— De quoi s'agit-il ?

— Allez au diable ! explosa Vouner.

Il la poussa et se dirigea vers la porte du fond.

— Vous ne pouvez pas faire ça ! s'écria-t-elle en le suivant, mais Vouner avait déjà ouvert la porte et était entré dans la pièce voisine.

A la fenêtre se trouvait un Terrien trapu qui grattait doucement un pouner assis dans une corbeille sur le banc devant la fenêtre. Quand Vouner entra, il se retourna. Il avait la peau hâlée par le soleil. Son visage portait les traces d'une opération récente de chirurgie esthétique.

— Il est entré tout simplement, papa, dit la jeune fille depuis la porte.

— Qu'elle disparaisse ! exigea Vouner d'un ton brusque. Allez, dites-le lui !

Legarth l'examina d'un air méprisant.

— Est-ce une agression ?

— Sottise ! grogna Vouner. Je dois vous parler.

— Voici ma fille ! dit Legarth. Elle peut tout entendre. Que voulez-vous donc ?

Vouner vit qu'il ne faisait que gaspiller son temps. Si la jeune fille avait la confiance de son père, ce n'était certainement pas sans raison.

— Je suis en fuite, dit-il franchement.

Legarth haussa les sourcils. Il quitta la fenêtre et prit place derrière son bureau. Songeur, il prit un cigare dans une boîte et l'alluma. Vouner l'examina attentivement.

— Qui vous poursuit ?

— Quiconque est au courant de mon existence, dit Vouner sarcastique.

Il remarqua que la fille de Legarth l'observait du coin de l'œil avec méfiance.

Legarth réfléchit un moment à la réponse de Vouner.

— Pour quelle raison ?

Vouner souleva sa cape pour que les deux Terriens puissent voir l'activateur.

— A cause de ceci !

— Il a un activateur ! articula la jeune fille.

Le commissionnaire, fasciné, regarda le petit appareil sur la poitrine de Vouner. Ce dernier dissimula de nouveau l'activateur et sortit son pistolet.

— L'activateur n'est ni à vendre, ni à acquérir d'une autre manière, dit-il clairement. D'autres l'ont déjà tenté.

Legarth tira quelques rapides bouffées de son cigare. Ses gros doigts tambourinaient nerveusement sur le bord de la table.

— L'objet est-il authentique?

— Naturellement. Pensez-vous que sinon je risquerais ma vie pour lui?

— En êtes-vous légalement propriétaire? demanda Legarth qui avait retrouvé le contrôle de sa voix. Ou l'avez-vous acquis illégalement?

— Aucun tribunal de l'Empire ne peut m'en déposséder.

Il avait intentionnellement révélé son secret au commissionnaire. S'il y avait quelque chose qui pouvait pousser un homme à agir, c'était bien l'activateur.

— Pourquoi êtes-vous venu ici?

— Je pensais que vous aviez accès au transmetteur.

— J'ai un contrat avec l'administration m'autorisant à envoyer quotidiennement une quantité déterminée de fret à Doun. Mais je ne possède pas de licence pour le transport de personnes.

— Y a-t-il moyen de m'envoyer en fraude à Doun en même temps que le fret?

Le refus apparut sur le visage de Legarth. Il leva les deux bras d'un air suppliant.

— Je suis le seul Terrien à avoir obtenu des Arras l'autorisation d'utiliser le transmetteur. La réussite de mon affaire dépend de ce contrat. Je ne peux risquer de mettre en jeu le fondement de mon existence. (Il écrasa nerveusement son cigare à peine fumé dans le cendrier.) Presque tous les cargos de Sol III qui atterrissent à Forungs ont de la marchandise pour moi. Cela coûte moins cher de transporter le fret en véhicules-robots sur la courte distance entre Forungs et Pasch et ensuite de l'envoyer par...

— Je me moque complètement de la manière dont vous menez vos affaires. Vraisemblablement personne n'apprendra jamais que vous m'avez aidé.

Legarth réfléchit intensément. Sa fille parut vouloir dire quelque chose mais elle se mordit la lèvre inférieure et garda le silence. Vouner laissa à l'homme le temps de prendre sa décision.

— Bon, d'accord, dit Legarth au bout d'un moment. Nous pouvons en tout cas essayer.

Satisfait, Vouner inclina la tête. Il tenait toujours le pistolet à la main.

— Comment imaginez-vous la chose? demanda-t-il.

Legarth se leva brusquement et se dirigea vers la fenêtre. Le pouner sautilla hors de sa corbeille et plein d'espoir, s'étira sur ses pattes arrière. Avec nonchalance, Legarth se mit à le caresser.

— Sur la rampe de chargement il y a plusieurs caisses à destination de Doun. Nous vous mettrons dans l'une d'elles. Votre poids devrait correspondre à peu près à celui de la marchandise que nous allons sortir.

Vouner fronça les sourcils.

— Les caisses ne sont-elles pas contrôlées?

— Pour quoi faire? Je possède une licence pour une quantité déterminée chaque jour. Cela est additionné pour que je ne dépasse pas mon quota. Le fret est déjà soumis à un contrôle sévère en quittant l'astronef afin que des marchandises interdites ne puissent arriver sur Arralon. (Il sourit un peu.) En outre les commerçants terriens sont connus pour leur honnêteté.

— Il n'y a donc pas de danger que je sois découvert?

La soudaine serviabilité de l'homme fit douter Vouner de sa sincérité.

— Vous arriverez à Doun en toute sécurité.

— Combien de temps devrai-je attendre dans la caisse?

— Pas plus d'une heure. Venez, je vous conduis à la rampe de chargement.

Les deux hommes quittèrent la pièce. Quand la porte se fut refermée derrière eux, June Legarth se dirigea vers le bureau avec un soupir et se laissa tomber dans le fauteuil de son père. La vie sur Arralon offrait constamment de nouvelles émotions. Un jour elle abandonnerait son père et retournerait sur la Terre. Elle avait déjà pris cette décision bien souvent mais ne l'avait jusqu'alors jamais mise à exécution. Pourtant, un jour...

Elle pensa à l'homme avec l'activateur cellulaire. Un

être étrange, au regard sombre et au visage maigre. Un aventurier? Un criminel? Un agent spécial? Ou un homme tout à fait ordinaire que le hasard avait entraîné dans un tourbillon d'événements que l'on ne pouvait plus arrêter?

June espérait que son père ne commettrait pas d'erreur. L'homme semblait être sans scrupule. Elle était plongée dans ses pensées quand Legarth revint. Il referma la porte derrière soi et s'essuya la sueur du front.

— Ça y est! murmura-t-il d'un ton triomphant. Il est pris au piège.

Effrayée, la jeune fille se leva d'un bond.

— Qu'est-ce que ça veut dire? Veux-tu le livrer à la police?

— Non, non. (Legarth lui posa les deux mains sur les épaules pour l'apaiser.) Il est assis dans sa caisse, là dehors, et attend qu'on vienne le chercher.

June poussa un soupir de soulagement. Elle ne voulait pas être mêlée à des choses qui lui répugnaient.

— Nous devons gagner notre maison de campagne, lui apprit son père sans détour. Il arrivera bientôt là-bas.

— Il?

Des rides verticales apparurent sur le front de June.

— L'homme à l'activateur. Je l'ai mis dans la mauvaise caisse. Tu sais bien, celle contenant les vivres que nous recevons toujours de la Terre. La voiture-robot va l'apporter dans notre maison au lieu de le conduire au transmetteur. Là-bas nous l'attendrons. Sa surprise sera grande quand il se verra trompé. L'activateur ne restera plus très longtemps entre ses mains.

Surprise, June s'écarta de son père.

— Tu veux l'activateur? Tu veux voler cet homme?

— Crois-tu peut-être qu'il l'a acquis honnêtement? Elle regarda fixement par la fenêtre.

— Que va-t-il lui arriver? demanda-t-elle.

— Je dois le tuer, dit Legarth d'une voix atone.

A cet instant, June sentit se déchirer le dernier lien

qui l'unissait à son père. Pas un mot ne franchit ses lèvres. Legarth la saisit sans douceur par le bras.

— Allez, dit-il. Il n'y a pas d'autre solution. Nous devons atteindre la maison avant la voiture-robot.

CHAPITRE XVI

La maison de campagne de Legarth se trouvait en bordure d'un grand parc, non loin de Pasch. Son style rappelait incontestablement celui des architectes terriens. Quand son père et elle montèrent quatre à quatre les marches conduisant à l'entrée, June Legarth ne prêta guère attention à la beauté des lieux. Legarth la conduisit dans la salle à manger et l'y enferma. Elle l'entendit dire :

— Tiens-toi tranquille.

Puis ses pas s'éloignèrent dans le corridor.

De la fenêtre de la salle à manger, elle pouvait voir la route par laquelle la voiture-robot arriverait. Elle avait le visage crispé de tristesse à l'idée de ce qu'avait l'intention de faire son père.

Elle entendit Legarth se rendre dans la salle de séjour, vraisemblablement pour y prendre une arme. Elle ferma un instant les yeux. Elle ne pouvait rien faire pour éviter l'effroyable. Pour obtenir l'immortalité, son père allait commettre un crime. Elle tentait de comprendre cette chose incroyable qui poussait le vieil homme à un tel acte, mais cela dépassait son entendement.

Elle se tenait, immobile, à la fenêtre.

Elle vit alors la voiture-robot prendre le virage derrière le parc, à vive allure. Le vieux Legarth apparut en haut de l'escalier et descendit lentement sur la route. Sous le bras il tenait un fusil thermique.

Epouvantée mais incapable de détourner le regard, June suivit les événements.

La voiture-robot approchait rapidement. June pouvait déjà voir la caisse sur son plateau de chargement. Elle sanglota.

Son père allait devenir un meurtrier. Elle vit la voiture ralentir. Legarth se tenait calmement au bord de la route et attendait.

Le désir de l'immortalité avait bouleversé la vie d'un autre homme.

Quelque part dans l'univers, un éclat de rire spectral devait retentir : joie moqueuse devant la faiblesse des humains. L'être spirituel de Délos avait mis en scène ce drame des activateurs. Les acteurs en étaient les hommes.

Des hommes comme Spencer et June Legarth, comme Darfass et Kler-Basaan.

Des hommes comme Hendrik Vouner.

La pensée de la vie éternelle avait annihilé tout autre sentiment chez Spencer Legarth.

Les lèvres serrées, il attendait la voiture-robot. Il espérait que le Terrien n'avait pas trouvé le temps trop long. Mais l'homme ne pouvait savoir par quelle route le véhicule atteignait le transmetteur, ni combien de temps il lui fallait.

La voiture-robot s'arrêta juste devant Legarth. En deux bonds il sauta sur le plateau de chargement. La caisse était là. Legarth leva son fusil.

Il attendit que le Terrien ouvre le couvercle de l'intérieur. Mais rien ne se passa. Apparemment, l'homme méfiant attendait et tendait l'oreille.

Legarth ne put réfréner son impatience plus longtemps. Il donna un coup de pied au couvercle qui tomba alors sur la route, de l'autre côté de la voiture.

Décontenancé, Spencer Legarth regardait fixement dans la caisse. Son arme ne trouva pas de cible ; l'homme qu'il avait cru voir avait disparu.

L'air lui manqua. Au fond de la caisse se trouvait une

petite note. Il la sortit. D'une écriture hâtive il y était écrit :

Darfass, un vieux marchand, m'a donné des leçons de torguich. Mes connaissances m'ont suffi pour déchiffrer les inscriptions sur les caisses. J'ai ainsi rapidement découvert quel était le fret réellement destiné au transmetteur. Legarth, vous êtes un salaud !

Vouner.

Déconcerté, Legarth laissa tomber la note. Il descendit de la voiture et retourna dans la maison. Il déverrouilla la porte de la salle à manger. Sa fille, adossée au mur, le regardait.

— Il est parti, dit Legarth.

— Je te quitte, dit-elle sans expression. Je retourne sur la Terre par le prochain navire.

Il ne semblait absolument pas l'avoir entendue. Il alla vers l'armoire et en sortit une bouteille. A la hâte il la déboucha et but. L'alcool coula, brûlant, dans sa gorge.

S'il se dépêchait, il pourrait peut-être alerter à temps l'administration du transmetteur. Mais c'eût été se condamner à mort.

Il ne pouvait rien faire, absolument rien. Il but encore une fois et jeta le fusil.

— Il est parti, répéta-t-il.

June Legarth passa devant lui, sortit dans le corridor et se dirigea vers l'escalier qui descendait sur la route.

Le vent léger poussa une feuille de papier devant ses pieds mais elle n'y fit pas attention. Derrière elle, dans la maison de campagne, le silence était total. Elle n'entendait que ses propres pas qui crissaient sur le sable.

CHAPITRE XVII

Après avoir vu Legarth partir avec sa fille, Vouner n'eut pas besoin d'autre preuve pour comprendre que le commissionnaire voulait lui tendre un piège.

A peine Legarth avait-il disparu dans son bureau que Vouner était sorti de la caisse où l'homme l'avait caché. En face de la rampe se trouvaient les robots-transporteurs qui exécutaient toutes les tâches d'une manière autonome. Vouner s'était faufilé près du bureau mais n'avait compris que des lambeaux de phrases. Puis Legarth et sa fille étaient sortis de la maison. Vouner en avait fait le tour en courant et était arrivé à temps pour les voir partir avec un véhicule privé.

Il retourna à la rampe de chargement et étudia les inscriptions des caisses. Il découvrit bientôt que celle où l'avait caché Legarth était destinée personnellement au commissionnaire. Vouner comprit aussitôt ce qui devait lui arriver.

Il se rendit dans le bureau et écrivit une petite note qu'il posa dans la caisse. Peu après, l'une des voitures-robots arriva et embarqua son chargement. Vouner inclina la tête. C'était bien ce qu'il pensait. Legarth attendait certainement son « fret », quelque part, l'arme au poing.

Vouner comprit qu'il devait se garder même de ses propres congénères sur Arralon. Eux aussi essaieraient de lui prendre l'activateur.

Il examina soigneusement toutes les caisses. Il en

choisit une tout à l'avant de la rampe qui, d'après l'inscription, était destinée à Doun.

Le couvercle était fermé. Vouner le força. La caisse contenait des sculptures en bois. Vouner sortit les figurines, les porta dans le bureau de Legarth et les posa sur la table.

Puis il retourna dans la cour et cacha soigneusement le matériau d'emballage. Il pesait vraisemblablement davantage que les statues de bois mais la différence n'était certainement pas très grande. Il grimpa dans la caisse en matière plastique et saisit le couvercle. Il l'accrocha des deux côtés et fit jouer la fermeture à ressort. Il n'avait pas à craindre de manquer d'air car toutes les caisses avaient des trous d'aération dans le fond.

Vouner était assis dans sa cachette inconfortable. Il importait maintenant que la voiture-robot qui allait venir le chercher arrive plus vite que Legarth qui dans un avenir plus ou moins rapproché, allait apprendre que son plan avait échoué. Comme les transporteurs de fret étaient programmés à l'avance, ils poursuivaient leur travail même en l'absence de leur propriétaire.

Au bout de quelques minutes, Vouner sentit que son désir de soulever le couvercle pour jeter un coup d'œil dehors, devenait de plus en plus fort. Il s'y était attendu. Mais il devait se maîtriser. Pour la réussite de son plan, il fallait que tout se déroule sans accroc. Si quelqu'un montait par hasard sur la rampe et voyait une caisse s'ouvrir toute seule, les espoirs de Vouner s'envoleraient.

Aussi resta-t-il tranquillement assis dans l'obscurité, s'attendant constamment à entendre des pas s'approcher. Sa crainte que quelqu'un n'ouvre soudain le couvercle se transforma presque en panique.

Les mains de Vouner étreignaient le pistolet. Il perdit toute notion du temps.

Puis la caisse reçut un léger coup. Vouner poussa un cri et presque en même temps se mit les deux mains sur la bouche. Il maudit sa peur. Quelque chose le souleva, sans doute le bras de chargement d'une voiture-robot. Pendant quelques secondes Vouner dans sa caisse, plana dans les airs puis fut déposé avec une secousse. Personne ne vint regarder à l'intérieur. Le pouls de Vouner s'apaisa.

Pendant un moment, rien ne se produisit ; le robot était certainement occupé à charger d'autres marchandises. Vouner espérait que sa caisse se trouvait discrètement placée sous d'autres.

Il entendit un bruit, comme quelque chose que l'on broie. De nouveau il fut pris du désir de soulever le couvercle. Il voulait seulement l'entrouvrir. Il poussa mais le plastique ne céda pas. Il y avait donc déjà d'autres marchandises empilées au-dessus de lui.

Vouner compta les secondes. Pourquoi cette fichue voiture ne se décidait-elle pas à partir ? Son front était trempé de sueur. Il s'était mis dans une situation dont il ne pourrait se sortir s'il se produisait le moindre incident.

Finalement la voiture s'ébranla et descendit la rampe.

« Ça y est ! pensa Vouner. Elle va maintenant vers le transmetteur. »

*
* *

L'image du Grand Orateur du Conseil des Médecins apparut plus nettement sur l'écran dépoli. Mal à l'aise, Uwasar leva les yeux vers son supérieur immédiat. Puis il brancha son propre dispositif de retransmission. L'expression de son visage changea.

— Eh bien ? demanda Tabes. Qu'avez-vous obtenu ?

— Rien, avoua l'agent secret. On dirait que ce Terrien s'est évanoui.

Tabes plissa le front.

— Voulez-vous dire par là que cet homme est toujours en possession de l'activateur cellulaire ?

— Oui. Et il a bien failli s'échapper par l'océan.

— En bateau ? demanda Tabes, incrédule.

— Il ne voulait certainement pas nager, laissa échapper Uwasar, irrité par ses échecs. Nous occupons tous les lieux d'atterrissage et de décollage à Pasch. Il est tout simplement impossible qu'il puisse s'échapper par les airs. La route maritime lui est également barrée. Il doit être quelque part dans la ville mais nous n'avons pu le découvrir jusqu'ici. Sur la côte, les contrebandiers dont vous tolérez l'organisation, ont une caverne. Là-bas nous avons trouvé des traces. (Une critique amère perçait dans les paroles d'Uwasar.) Sans l'aide d'un chef contrebandier, il ne serait jamais arrivé jusqu'à Pasch.

— Ne vous occupez pas de politique, exigea Tabes avec force. Votre tâche consiste à arrêter ce Terrien et non à critiquer les décisions du Conseil.

Uwasar s'excusa.

— Encore une chose, dit Tabes. Qu'il ne vous vienne pas à l'idée de vouloir me tromper. Vous êtes un agent secret fort doué, Uwasar, mais vous n'entendez rien à la diplomatie.

L'agent secret pâlit. Tabes lui sourit.

— Et le transmetteur ? demanda le Grand Orateur. Ne peut-il pas être allé à Doun par ce chemin ?

— Vous savez à quel point toutes les personnes qui utilisent le transmetteur sont sévèrement contrôlées.

— Il n'est pas nécessairement passé par le transmetteur en tant que personne.

Les yeux d'Uwasar étincelèrent.

— Vous pensez que déguisé en fret il... mais non, pour cela il lui aurait fallu l'aide d'un commissionnaire.

— A Pasch vit un homme d'affaires terrien. Je ne puis me souvenir de son nom. Mais il a un contrat avec l'administration du transmetteur qui l'autorise à faire suivre à Doun des marchandises terriennes en provenance de Forungs.

L'agent secret battit des mains.

— C'est une piste, dit-il. Nous allons aussitôt nous en occuper.

193

L'irritation de n'avoir pas eu cette idée lui-même, perçait nettement dans sa voix.

— Ne perdez pas de temps, lui conseilla Tabes. J'espère que vous n'arriverez pas trop tard.

CHAPITRE XVIII

Vouner sentit le véhicule s'arrêter. Il était arrivé près du transmetteur. Legarth n'était certainement pas le seul expéditeur à s'en servir. Il était donc possible que Vouner eût encore à attendre longtemps.

Peu à peu il croyait qu'il parviendrait à passer par le transmetteur. Mais sa nervosité ne diminuait pas. Qu'est-ce qui l'attendait quand il ressortait à Doun ? A qui était destiné ce fret ? Conduirait-on d'abord la caisse dans un entrepôt ou l'ouvrirait-on aussitôt ?

Il ne pourrait répondre à toutes ces questions qu'une fois son objectif atteint, si on lui en laissait encore le temps.

La voiture se remit en marche et Vouner interrompit ses réflexions. Il se redressa dans son étroite cachette. Que signifiait ce nouveau départ ? Le transporteur-robot était-il conduit vers un poste de contrôle ? Legarth avait-il appelé l'administration du transmetteur après avoir découvert la note ? Non, car l'homme se serait nui à lui-même.

Les mains de Vouner étreignirent l'activateur. Il pendait toujours sur sa poitrine. Il devait le conserver jusqu'à la base impériale, alors il serait en sécurité.

Le véhicule-robot s'arrêta de nouveau. Au bout d'un moment, Vouner entendit des voix. La panique menaçait de s'emparer de lui. Il se sentait découvert mais ensuite il se força à réfléchir avec logique.

Une voix masculine comptait en torguich. Vouner

l'entendait de plus en plus nettement et il savait pourquoi. Les caisses au-dessus de lui étaient peu à peu enlevées. Tôt ou tard, son tour viendrait.

Un grand vacarme lui parvint.

— Attention! cria quelqu'un en intergalacte. Les caisses éclatent facilement si nous les faisons tomber.

La peur s'empara de Vouner. Que ferait-il si cela se produisait avec la sienne? Il sentit alors sa caisse se mettre à vaciller. Il fut soulevé et envoyé avec un balancement, dans une autre direction. La caisse oscillait d'un côté et de l'autre. A deux mains, Vouner s'accrocha au couvercle pour qu'il ne s'ouvre pas brusquement.

Puis la grue invisible le posa. Il continua sa route sur un tapis roulant.

— Dix-sept, dit une voix indifférente.

Vouner fut arrêté et quelqu'un parut mettre un cachet sur la caisse.

— Continuez!

Les lèvres de Vouner tremblaient. Il osait à peine respirer. Cela ne prendrait-il donc jamais fin? Il sentit qu'il était transporté plus loin.

Un bruit de moteur retentit et un cliquetis. Vouner tenta d'interpréter ces bruits. Avec une secousse il fut de nouveau stoppé. Quelque chose passa sur la caisse.

« Frrt! Clac! Frrt! Clac! »

Les nerfs de Vouner lâchèrent. Avec un cri, il poussa sur le couvercle pour l'ouvrir. Une seule pensée le dominait. Il ne voulait qu'une chose ; sortir de cette boîte étroite, de ce cercueil de plastique dans lequel il s'était lui-même enseveli vivant.

Mais le couvercle ne céda pas. Les bras de Vouner se relâchèrent. Il savait très bien ce qui s'était passé. Une machine quelconque passait des cerclages d'acier autour des caisses pour qu'elles n'éclatent pas.

La caisse de Vouner avait elle aussi été assurée de la sorte. Cela signifiait qu'il ne sortirait pas de là sans aide extérieure. S'il utilisait une de ses armes, la réflexion le tuerait car la cible était trop proche, même à la puissance énergétique minimale.

Il ne lui restait plus qu'à attendre que quelqu'un vienne ouvrir la caisse.

Il était maintenant sûr qu'il parviendrait à Doun — mais seulement pour tomber inévitablement entre les mains des Arras.

Il avait réussi l'incroyable. Dans sa fuite il avait traversé près de la moitié de la planète. Tout cela seulement pour se retrouver finalement en prison.

Une autre pensée lui vint. Et si ces caisses étaient entreposées quelque part et non ouvertes immédiatement ? S'il passait des jours, des semaines ou des mois... Mais non, il ne serait alors plus là pour le voir.

La caisse se mit à rouler. Quand elle s'arrêta de nouveau, elle se trouvait à l'intérieur du transmetteur.

Vouner le sut à l'instant même où il perdit connaissance.

CHAPITRE XIX

— Des statuettes en bois, murmura Uwasar. Toute la table couverte de statuettes et aucun signe de Legarth lui-même, bien que l'on soit en plein dans les heures ouvrables. Fouillez tout ! Pendant ce temps je vais sur la rampe de chargement.

Au bout de quelques minutes ils savaient déjà que la fouille n'apporterait aucun résultat tangible. Uwasar revint dans le bureau avec une liasse de papiers.

— Des bordereaux de transport ! dit-il. Legarth envoie des marchandises par transmetteur presque quotidiennement. Inutile de chercher des indices. Nous devons parler au commissaire lui-même.

— Il y a ici un courrier privé, annonça Klaron. Il y est question d'une maison de campagne.

— L'adresse est-elle indiquée ?

— Elle se trouve en dehors de la ville, en bordure du parc Jetin.

Uwasar avait déjà ouvert la porte.

— Nous prenons le glisseur, ordonna-t-il. Nous le trouverons certainement là-bas.

Les agents sortirent à la hâte. Chacun d'eux avait suivi un entraînement spécial. Ils savaient très bien comment procéder dans des cas déterminés.

Le glisseur était derrière la rampe de chargement, dans la cour de Legarth. Ils y montèrent. Uwasar brancha l'avertisseur lumineux. En règle générale, seuls les appareils de la police étaient autorisés à voler par-dessus les bâtiments dans les villes souterraines.

Uwasar appareilla et fit monter le glisseur à toute vitesse. Puis ils foncèrent vers le tunnel le plus proche. Quelques minutes plus tard, ils avaient atteint la surface d'Arralon.

Peu après, la maison de campagne de Legarth apparut, en bordure du parc Jetin.

— Un transporteur-robot se trouve près de la maison, annonça Klaron qui regardait à l'aide du détecteur. Il y a aussi un véhicule plus petit, sans doute la voiture personnelle de Legarth.

Uwasar inclina la tête d'un air mauvais et fit descendre le glisseur. Ils se posèrent dans le jardin, au milieu d'un parterre de fleurs.

Personne ne sortit pour protester contre cet atterrissage. Les agents montèrent l'escalier précipitamment. Uwasar ouvrit la porte d'un coup de pied, procédé infaillible, et ils entrèrent dans le corridor. Tout d'abord les hommes furent déconcertés par le type de construction purement terrien mais ensuite ils ouvrirent les portes.

Ils trouvèrent Spencer Legarth dans la salle de séjour, dans un fauteuil devant la grande fenêtre. Sur le sol gisait une bouteille vide. Legarth ronflait ; sa large cage thoracique se levait et s'abaissait régulièrement.

Uwasar fit signe à ses compagnons d'attendre à la porte.

Comme Legarth était un Terrien, il était sous la protection de l'Empire, contrairement à Vouner dont aucune organisation terrienne ne connaissait la présence sur Arralon. Uwasar dans le cas présent avait les mains liées jusqu'à un certain point mais comme l'enjeu était un activateur cellulaire, il décida de prendre plus de risques qu'il n'en aurait normalement pris à l'égard d'un Terrien.

Il gifla le commissionnaire.

Legarth grogna, ouvrit péniblement les yeux et les leva vers Uwasar.

— Vous êtes ivre ! cria Uwasar.

Il saisit Legarth par le revers de sa veste et le souleva. Le Terrien chancela mais resta debout. Ensuite il se baissa pour chercher la bouteille mais d'un coup de pied, Uwasar l'envoya de l'autre côté de la pièce.

— Nous appartenons aux services secrets du Conseil des Médecins, annonça Uwasar. Nous devons vous interroger.

Une lueur vacillante, incertaine, apparut dans les yeux de Legarth.

— L'avez-vous déjà coincé ? demanda-t-il.

Legarth parlait du Terrien ! La fièvre du chasseur saisit Uwasar.

— Il était donc ici ?

— Ici ? ricana le Terrien. Il a envoyé une caisse vide, ce diable d'homme. Oui, une caisse vide avec un mot pour son vieil ami.

— Où se trouve maintenant l'homme à l'activateur ?

Pendant un bref instant, l'effet de l'alcool parut se dissiper chez le commissionnaire. Une expression de tristesse apparut sur son visage.

— A Doun, dit-il. Maintenant il se trouve à Doun.

Les yeux d'Uwasar se rétrécirent en fentes minces. Ainsi ils ne pouvaient plus attraper Vouner à Pasch. Il était inutile de poursuivre l'interrogatoire de cet homme ivre. Legarth avait vraisemblablement aidé le Terrien à gagner le transmetteur au milieu de marchandises. Peut-être même que Vouner l'y avait contraint.

Il repoussa Legarth dans le fauteuil.

— Je vais me plaindre, protesta Legarth.

Uwasar fit signe à ses hommes. La première chose à faire c'était de se rendre auprès du transmetteur. Ils pourraient certainement déterminer pour quel quartier de Doun le dernier envoi de Legarth était parti et qui était le destinataire. Grâce à ses pleins pouvoirs spéciaux, Uwasar obtiendrait qu'on l'envoie avec les autres agents pour le transmetteur. Alors ils pourraient encore capturer Vouner avant qu'il n'atteigne la base de l'Empire.

Ils quittèrent la pièce.

— Il nous a encore une fois échappé, grogna Klaron.

— C'est comme un fantôme, dit Uwasar. A chaque fois que l'on croit l'avoir trouvé, il s'est déjà évanoui.

C'était le plus grand compliment que le chef des services secrets d'Arralon ait jamais fait à un adversaire.

En même temps cela signifiait que la chasse continuait.

— Mais les fantômes aussi peuvent être attrapés, ajouta Uwasar. Nous nous rapprochons de plus en plus. Son avance diminue. A Doun nous l'aurons rattrapé.

CHAPITRE XX

Les cellules se dissipèrent en molécules — les molécules en atomes. Un tourbillon d'énergies, de substance dématérialisée, fut propulsé par le transmetteur pratiquement en un temps zéro. Un processus qui était certes imaginable mathématiquement mais ne pouvait jamais être compris en toute logique.

Du point de vue mathématique, pendant son « voyage » Vouner subissait de par l'activateur une perte d'énergie si faible qu'elle n'était guère exprimable en chiffres. Malgré tout, ce fut le même Hendrik Vouner qui naquit dans le récepteur, tout comme des milliers de personnes avant lui y avaient repris connaissance pour constater avec satisfaction que rien ne leur était arrivé.

Les physiciens disaient que c'était toujours le même corps qui devait sortir des transmetteurs.

Les philosophes affirmaient que l'on ne pourrait jamais en apporter la preuve. Ils parlaient d'autres niveaux de probabilité dans lesquels le corps d'origine plongeait tout en continuant à vivre dans son propre monde pendant la phase de reproduction sans que les deux individus ne soient au courant l'un de l'autre.

Quand Hendrik Vouner revint à lui, ce furent ses vieilles peurs, son inquiétude panique pour l'activateur, sa haine de tous ceux qui ne faisaient que le regarder, qui se réveillèrent en lui.

Il était convaincu qu'il avait réussi le saut par transmetteur. Il se trouvait maintenant à Doun, enfermé dans une caisse en plastique juste assez grande pour contenir un corps humain.

Il ne lui restait plus qu'à attendre que le fret parvienne à destination et que l'on ouvre la caisse.

Avec une ironie mauvaise, Vouner pensa qu'il représentait un bien maigre remplacement pour les figurines en bois sculpté qui devaient être livrées à un amateur quelconque.

Il n'attendit pas longtemps. Apparemment sans peine, une machine le souleva et l'emporta. Vouner étreignait son radiant prêt à tirer. Le pistolet à balles explosives était dans sa ceinture.

Au bout d'un moment, la caisse reçut un choc et atterrit brutalement. La tête de Vouner heurta la dure paroi.

Un peu plus tard, une légère secousse indiqua qu'il était maintenant posé sur une voiture en mouvement. Il ne pouvait que supposer que l'on avait remis le fret sur un véhicule pour le conduire à destination. Une destination inconnue.

En d'autres circonstances, Vouner aurait éventuellement pris son parti de la situation mais le fait de posséder un activateur cellulaire changeait tout. Il y avait une différence entre avoir à perdre l'immortalité ou seulement la vie. Pour Vouner, perdre l'activateur équivalait à mourir des dizaines de fois.

L'idée qu'il se faisait de l'immortalité n'avait fait que s'embrouiller au cours de sa fuite. Si jamais il parvenait à atteindre le sol terrestre avec l'activateur, il serait certes immortel mais aussi aigri, méfiant, haineux et sans amis.

Tel était le prix que Hendrik Vouner devait payer. Naturellement il n'en était pas pleinement conscient. Les autres qui le traquaient, qui étaient à la poursuite de l'activateur, c'étaient eux les hommes exécrables, les envieux, les représentants du mal.

Du point de vue psychologique, Vouner se trouvait dans la situation d'un homme qui, ne venant pas à bout de ses problèmes, les surmonte en rejetant tout ce qui est négatif sur son environnement.

Ce voyage en pays étranger se transformait en cauchemar pour Vouner. L'incertitude et la peur le secouaient. Pendant que le véhicule roulait à travers Doun, Vouner apprit à connaître la signification de l'épouvante. Personne ni aucun danger immédiat ne le menaçait. Et pourtant il y avait là la caisse étroite, l'obscurité et le silence seulement interrompu par le bruit monotone du véhicule en marche.

Vouner essaya de siffler mais il ne produisit aucune mélodie cohérente.

« Vouit-vouit-vouit ! »

Dix *miles* ? Cent *miles* ? Mille *miles* ?

Il avait le corps couvert de sueur froide. Ses yeux écarquillés étaient fixés sur les ténèbres qui l'entouraient.

L'activateur cellulaire sur sa poitrine semblait peser une tonne. Vouner cria des mots sans suite. Il avait peur. Des cercles et des silhouettes multicolores apparurent devant ses yeux.

« Vouit-vouit-vouit… »

Terminé !

La voiture était arrêtée.

L'épouvante se retira. Vouner prit une profonde inspiration et pressa ses mains tremblantes sur sa poitrine. Quelque chose lui était arrivé, quelque chose avait changé pendant ce voyage de l'effroi. Vouner était tellement occupé par lui-même qu'il ne remarqua guère que l'on emportait sa caisse.

Mais la secousse avec laquelle on la déposa peu après le ramena à la réalité.

— Par ici ! dit une voix rauque en intergalacte.

Vouner sursauta. De nouveau il fut soulevé et porté un peu plus loin.

— Bien, dit la même voix. Dépose la caisse et laisse-moi seul.

Celui qui parlait, quel qu'il fût, avait apparemment renvoyé un robot. Mais ce qui était encore plus impor-

204

tant et donnait de nouveaux espoirs à Vouner, c'était le fait que l'homme qui allait ouvrir le couvercle dans quelques instants, était seul.

Vouner étreignit son arme plus fermement. Il la pointa juste sur l'endroit où le couvercle devait se soulever.

Des pas s'approchèrent. Le corps de Vouner se tendit comme un ressort. Quelqu'un frappa sur le couvercle. Puis les cerclages d'acier furent coupés. Vouner sentit un frisson lui parcourir l'échine.

Puis le couvercle fut soulevé.

Le regard de Vouner rencontra un visage âgé, barbu, qui se figea alors d'effroi.

Vouner le menaçait de son arme. Et il dit d'une voix cassante :

— Pas un geste, vieux !

CHAPITRE XXI

En tendant sa carte d'identité Uwasar à la tête de ses hommes, passa les contrôles aux entrées du transmetteur. Il saisit par le bras le premier Arra qu'il vit et cria :

— Arrêtez immédiatement tous les envois par transmetteur ! Ordre spécial du Conseil des Médecins.

L'homme le regarda sans comprendre. Uwasar lui mit sa carte sous le nez.

— Allez ! Hâtez-vous sinon vous serez démis de vos fonctions !

L'homme se précipita dans une petite cabine et saisit un micro. A travers la vitre, Uwasar le vit parler rapidement. Puis l'employé de l'administration du transmetteur ressortit.

— J'ai donné tous les ordres, dit-il, effaré. Hodron vous prie d'aller dans son bureau afin de donner à l'administration une explication à cette mesure insolite.

Uwasar rit sèchement.

— Hodron est prié de venir me voir s'il souhaite un entretien. Allez, conduisez-nous immédiatement dans le département des marchandises !

L'Arra, choqué, indiqua le large couloir.

— Si vous voulez me suivre.

— Pas de cérémonies, gronda Uwasar. Nous passons devant.

L'employé s'empressa de marcher au même pas que les agents secrets. Ils arrivèrent près d'une grande rampe à laquelle conduisaient plusieurs bandes transporteuses. Des robots étaient constamment occupés à décharger des paquets et des caisses et à les empiler sur la rampe. De là, les marchandises poursuivaient leur chemin après avoir reçu un cachet.

L'employé fit signe à un autre Arra d'approcher.

— Voici Zoun-Pergal. Il dirige ce service.

Zoun-Pergal demanda, furieux :

— Est-ce vous qui avez ordonné l'arrêt des envois de marchandises ?

— En effet, dit Uwasar d'un ton incisif. Veuillez donc suspendre immédiatement les envois de fret, je vous prie.

Il montra sa carte à l'homme.

Comme piqué par une vipère, Zoun-Pergal se retourna et cria quelques ordres. Les bandes s'immobilisèrent. Les robots s'arrêtèrent, dans l'expectative.

— Nous soupçonnons à juste titre qu'un dangereux criminel s'est glissé parmi le fret, commença Uwasar. Avez-vous déjà envoyé des marchandises à Doun pour le compte d'un Terrien nommé Legarth ?

— Un instant !

Zoun-Pergal se rendit dans son petit bureau au bord de la rampe et revint aussitôt avec une liasse de bordereaux. Il les feuilleta tandis qu'Uwasar observait les environs.

— Il y a un moment une expédition pour le compte de Legarth est partie pour Doun, annonça finalement Zoun-Pergal.

— Toutes les caisses remises par Legarth doivent être aussitôt fouillées, dit Uwasar en faisant un signe de tête à ses compagnons. Mes hommes et moi allons vous aider. Nos appareils spéciaux rendent l'ouverture des caisses inutile.

Sous la direction d'Uwasar, ils se mirent à l'œuvre. Au bout de vingt minutes, tous les ordres de fret de Legarth avaient été examinés à fond.

— Rien ! dit Uwasar. Absolument rien !

Il s'adressa à Zoun-Pergal.

— Etes-vous sûr que ce soit là toute la marchandise que fait envoyer Legarth aujourd'hui ?

— Je vous ai déjà dit qu'une partie avait été expédiée.

— Montrez-moi les bordereaux de livraison. J'aimerais savoir quels sont les destinataires des marchandises de Legarth.

Zoun-Pergal lui tendit les papiers. Avec impatience, Uwasar les feuilleta. Soudain il blêmit.

— Que... qu'y a-t-il ? s'enquit Zoun-Pergal, prudent.

Uwasar prit les papiers et les froissa en une boule qu'il fourra dans sa poche.

— Retournez à Forungs. Je poursuis seul le travail.

D'un geste décidé, il coupa court aux éventuelles objections.

— Je dois me rendre à Doun. Envoyez-moi là-bas par le transmetteur.

— Naturellement, acquiesça Zoun-Pergal.

Uwasar passa sous la grande ogive du transmetteur et fut transporté à Doun.

Plus tard, on raconta qu'il n'était jamais sorti de l'appareil à Doun mais c'était une légende. Le fait est que Uwasar disparut dans la ville de Doun et ne fut jamais revu. Les recherches qui fit entreprendre Tabes, le Grand Orateur d'Arralon, rapportèrent seulement la rumeur qu'Uwasar avait quitté la planète.

CHAPITRE XXII

D'un bond, Vouner sortit de la caisse tout en continuant à menacer le vieil homme de son arme. Le vieux
était un Terrien, Vouner le vit aussitôt. Il aperçut une
pièce de taille moyenne aménagée d'une part en bureau
et d'autre part en salle de séjour.

— Qui êtes-vous ? bégaya le vieil homme qui reprenait peu à peu contenance. Comment êtes-vous parvenu
dans cette caisse ?

— Asseyez-vous là-bas sur la chaise, ordonna Vouner. Et n'essayez pas d'appeler au secours.

Le barbu obéit. Vouner attendit calmement que
l'homme ait pris place.

— Ecoutez-moi bien. Je suis dans une situation
désespérée et je ne reculerai devant rien.

L'homme regardait Vouner comme s'il était un
fantôme.

— Que me voulez-vous ?

— Dans quelle ville suis-je ?

— Ville ? articula le barbu sans comprendre. Que
voulez-vous dire par là ? Je ne comprends pas ce que
vous voulez.

L'arme au poing, Vouner fit un pas en direction de
l'homme.

— Pas d'échappatoires ! Je sais que je suis dans une
ville de Doun.

— Vous devez être fou.

— Bon, essayons autrement. Comment puis-je gagner au plus vite la base de l'Empire ?

A la surprise de Vouner, l'homme se mit soudain à rire.

— Pourquoi voulez-vous gagner la base ?

— Je suis en fuite. J'ai besoin de la protection de l'Empire.

— Je vous en prie, dit l'homme. Elle vous est accordée !

— Ça suffit ! cria Vouner. N'essayez pas plus longtemps de me prendre pour un imbécile. Maintenant parlez plus raisonnablement sinon l'interrogatoire prendra d'autres formes.

— Avant que vous ne m'assassiniez, je vais vous dire où vous vous trouvez, jeune homme. (Le vieux sourit amicalement à Vouner.) Actuellement vous êtes en face de O'Day, le commandant de la base impériale. Cela signifie que vous êtes à l'intérieur de la base.

Hendrik Vouner abaissa son arme. Il fit un pas en arrière et ses yeux se fermèrent. Un soulagement inexprimable l'envahit.

— J'attendais un envoi de sculptures en bois, dit O'Day. Je suis un collectionneur passionné de ces objets. Peut-être pouvez-vous m'expliquer comment il se fait que vous surgissiez de la caisse à la place des figurines ?

— Allez-vous me livrer ?

O'Day se leva. Vouner ne l'en empêcha pas. Le commandant referma le couvercle de la caisse et regarda Vouner du coin de l'œil.

— Qui devrait exiger que je vous livre ?

— Il y a bien des gens sur Arralon qui y ont intérêt.

— Ah bon ? dit O'Day d'un ton traînant. Et pour quelle raison ?

Vouner souleva sa cape pour que le commandant puisse voir l'activateur.

— Cela suffit-il comme raison ?

— Bien sûr, dit O'Day sèchement. Comment êtes-vous entré en possession de cet appareil ?

— Je l'ai trouvé sur la deuxième planète du système de Vélandre.

— Où est-ce?

Vouner le lui dit. Il raconta au commandant toute l'histoire de sa fuite. Il n'omit rien. O'Day ne l'interrompit pas. C'était l'auditeur le plus attentif que Vouner eût jamais eu. Une seule fois il se leva et apporta une bouteille de whisky et deux verres.

Il y avait longtemps que Vouner s'était assis lui aussi. Ses armes étaient dans sa ceinture. Il était heureux de pouvoir parler.

— Si cette histoire est exacte, l'activateur vous appartient. Le Stellarque vous proposera toutefois de lui vendre l'appareil pour dix millions de solars.

— C'est beaucoup d'argent, dit Vouner, indifférent.

O'Day lui jeta un regard perçant.

— Votre rapport sera naturellement vérifié. Je ne vous cache pas que pour pouvoir vous déposséder légalement de l'activateur, on essaiera de prouver que vous avez agi illégalement.

— C'est une perte de temps.

O'Day s'appuya en arrière dans son fauteuil. Il attendit que Vouner ait vidé son verre.

— Aimeriez-vous manger quelque chose?

— Oui. J'ai vécu des moments difficiles.

Le visage de O'Day prit une expression pensive.

— Votre cas va peut-être amener des complications. Il se peut qu'Arralon rompe ses relations avec l'Empire.

Il se leva et se dirigea vers l'intercom.

— Je n'espère certes pas qu'il se produise quelque chose mais en tout cas le Stellarque doit être aussitôt informé.

— Vous voulez appeler Terrania maintenant?

— Non, dit O'Day en riant. Je m'apprête à vous commander un repas.

— Merci.

O'Day lui fit apporter un repas chaud. Il ne dérangea pas Vouner pendant qu'il mangeait. Quand ce dernier eut terminé, O'Day lui offrit une cigarette.

— Je vous ai intentionnellement laissé le temps de vous reposer un peu. Vous pouvez prendre un bain et dormir dans mon petit logement. Je vais tout vous montrer. Pendant ce temps, je parlerai à Terrania.

Soudain Vouner fut de nouveau debout.

— Halte ! cria-t-il. Avant de quitter cette pièce, vous devez me prouver qu'ici je suis véritablement à l'intérieur de la base.

O'Day sourit et se caressa la barbe. Il fit signe à Vouner.

— Venez à la fenêtre.

Vouner s'avança près du commandant et regarda dehors. Il aperçut un dôme au sommet duquel flottait le drapeau de l'Empire. De la coupole partaient quatre constructions annexes.

— Satisfait ?

Embarrassé, Vouner inclina la tête. Mais sa méfiance demeurait. Il s'était tellement accoutumé à être prudent à l'égard des autres qu'il lui était difficile de reconnaître des intentions sincères.

O'Day lui montra la salle de bains et un lit. Puis il laissa Vouner seul. Hendrik Vouner remplit la baignoire et se déshabilla.

Il se souvint d'une scène semblable dans la boutique de Darfass. Il avait l'impression qu'il y avait des années de cela.

Vouner ôta l'activateur et entra dans l'eau. Il s'endormit dans le bain. Au bout d'un moment, O'Day revint et le réveilla. Il ne dit rien quand le premier geste de Vouner fut pour l'activateur.

— J'ai parlé à Perry Rhodan en personne, annonça le commandant. Il est déjà en route pour Arralon.

Vouner saisit une serviette. O'Day s'assit sur une chaise et soupira.

— Cela signifie que je dois astiquer la base. Rhodan n'est certainement pas tatillon mais c'est la règle de tout préparer à la perfection pour la visite d'un supérieur.

— Voulez-vous dire par là que Rhodan vient ici à cause de moi ?

O'Day montra l'activateur.

— Je ne crois pas que vous en soyez la cause directe, dit-il.

CHAPITRE XXIII

Le *Pusan* était l'un des navires les plus modernes de la flotte impériale. Il avait été construit avant tout pour des tâches spéciales nécessitant une intervention rapide. Malgré ses cinq cents mètres de diamètre, trente hommes suffisaient pour manœuvrer cet astronef.

En plus de l'équipage normal, il y avait alors à bord Perry Rhodan, Reginald Bull et le mulot-castor L'Emir. Ces deux derniers étaient les seules personnalités marquantes que Rhodan, en quelques instants, avaient trouvées prêtes à intervenir.

On voyait à la tête de l'Emir qu'il avait été surpris de cette mission car il ne cachait pas son mécontentement.

— Je considère tout ça comme un conte à dormir debout, répéta-t-il une fois de plus quand Rhodan se fit transmettre la distance réelle du soleil Kesnar.

— O'Day n'est pas un farceur, dit Bully. Par ailleurs toute piste d'activateur vaut la peine d'être suivie. La douche cellulaire arrive à échéance pour quelques mutants. Nous n'avons pas encore d'activateur pour eux.

— Vingt-cinq appareils, dit Rhodan, amer. Il nous en faut au moins dix fois plus pour en équiper toutes les personnes importantes.

— Nous devons nous résigner à ce qu'il n'y ait que vingt-sept hommes importants à l'intérieur de l'Empire, Atlan et toi compris, dit Bully sardonique.

Rhodan regarda son vieil ami gravement.

— C'est une spéculation erronée, mon gros. Bien sûr, l'être spirituel de Délos a dispersé vingt-cinq activateurs cellulaires à travers la Galaxie. Mais nous n'en avons trouvé que neuf. Cela signifie que les seize autres soit n'ont pas été découverts, soit sont portés par des personnes sans importance pour le destin de l'humanité.

Bully ne savait que trop bien que Rhodan avait raison. Lui-même portait l'un des activateurs déjà trouvés, c'est pourquoi il savait à quel point il serait difficile de découvrir les autres. Il se souvenait de l'angoisse qu'il avait éprouvée avant la découverte du premier appareil, alors qu'il n'avait plus que quelques jours à vivre. Beaucoup d'autres devaient maintenant trembler à leur tour.

Pour l'un d'entre eux, il y avait désormais un peu d'espoir. Il est vrai que O'Day avait signalé que l'homme qui avait apporté l'activateur dans la base semblait l'avoir acquis honnêtement et n'avait manifestement pas l'intention de le vendre pour dix millions de solars.

C'était compréhensible mais ce n'en était pas moins une erreur, de l'avis de Bully.

C'était une idée diabolique qui avait poussé l'Immortel de Délos à distribuer seulement vingt-cinq activateurs et qui plus est, en des lieux inconnus. Eh bien, l'énigmatique créature ne les avait habitués à rien d'autre . Mais la question qui préoccupait le plus les dirigeants de l'Empire, à côté de celle des activateurs, c'était de savoir devant quoi IL avait fui. Qui ou qu'est-ce qui pouvait être assez puissant pour faire fuir l'être spirituel de Délos ? La pensée d'une telle puissance était peu agréable.

L'Emir interrompit les pensées de Bully.

— O'Day s'est laissé prendre à une combine idiote, zézaya-t-il. Quelqu'un essaie de nous escroquer un tas d'argent.

— Ce n'est pas *ton* argent, lui rappela Bully, irrité.

— Si tu permets, mon gros : L'Emir paie ses impôts

avec une ponctualité beaucoup plus grande que la tienne. En tant que contribuable, j'ai le droit de me mêler des dépenses de l'Etat.

Bully gémit. Rhodan sourit faiblement.

— Nous verrons bien ce qui nous attend sur Arralon, dit-il d'un ton conciliant. Supportez-vous jusqu'à ce que nous ayons déterminé si O'Day a raison ou non.

Le *Pusan* poursuivait sa route dans l'espace, à plusieurs dizaines de fois la vitesse lumineuse. Au fond, tous les hommes étaient nerveux. C'était un activateur cellulaire qui était en jeu.

De l'un des vingt-cinq. Si O'Day avait raison, un autre homme important pourrait être sauvé.

Mais que se passerait-il si le propriétaire actuel se refusait à vendre ? Alors l'appareil serait perdu tant que l'on ne pourrait prouver que l'homme l'avait acquis illégalement. Et si seulement un homme parvenait à conserver un activateur, cette nouvelle se répandrait dans toute la Galaxie comme une traînée de poudre. Toute personne qui pourrait se rendre dans l'espace, d'une manière ou d'une autre, se mettrait en quête des appareils restants.

De noires visions apparaissaient à Rhodan quand il pensait à cette éventualité. Jamais il ne donnerait l'ordre de prendre par la force un activateur à un homme si celui-ci l'avait acquis honnêtement.

Le recours à la force c'était la fin de l'humanité et de la liberté. Rhodan ne serait jamais le pionnier en la matière.

Il avait besoin de l'activateur de Vouner mais il y renoncerait s'il n'y avait pas de moyen légal de l'obtenir.

CHAPITRE XXIV

Des pas fermes et des voix. Des portes qui claquent, des ordres militaires, le claquement de talons.

Vouner se leva du lit et passa dans la salle de séjour de O'Day.

Ça y était.

Perry Rhodan était arrivé à l'intérieur de la base. Au cours des dernières heures, Vouner s'était bien reposé. O'Day l'avait laissé presque toujours seul et n'avait fait aucune tentative pour lui dérober l'activateur.

Pour le vieux commandant, l'appareil ne paraissait pas exister.

Vouner s'avança près de la fenêtre et regarda le bâtiment annexe. Quelque part derrière ces murs, Perry Rhodan était en route pour venir le voir, lui Hendrik Vouner.

O'Day lui avait apporté d'autres vêtements. On pouvait voir la chaîne de l'activateur par son col ouvert. Nerveusement, Vouner caressa le dos de l'une des figurines de bois qui se trouvaient partout dans la salle de O'Day. Le commandant possédait une collection de choix.

Les pas s'approchèrent puis on frappa à la porte.

Juste à cet instant, Vouner ne put s'empêcher de se revoir, bien des jours plus tôt, montant à bord de l'*Olira* pour émigrer vers le Système Bleu.

Pour émigrer ?

Il avait fui la Terre, s'était fui lui-même, avait fui

devant sa faiblesse, son manque de réussite qui l'accompagnerait pourtant partout.

Jusqu'où un homme devait-il aller pour reconnaître ses erreurs ?

— Entrez ! cria Vouner.

Une seconde plus tard, il vit un immortel.

Il se tenait devant Perry Rhodan. Derrière le Stellarque, O'Day entra dans la pièce, un large sourire sur son visage barbu.

— Bonjour, monsieur Vouner, dit Rhodan.

Vouner s'inclina.

— Stellarque.

Vouner entendit O'Day fermer la porte. Rhodan était venu seul avec le commandant. Pas de gardes, pas de soldats, pas de mutants.

Vouner avait souvent vu le Stellarque en photographie. Mais aucune ne correspondait à la réalité. Il voyait un homme grand, mince, au visage grave mais expressif, et avec des yeux qui en avaient vu plus que n'en verrait jamais Vouner.

Perry Rhodan était un immortel. Ça se voyait. Ça se sentait.

Mais Hendrik Vouner n'en était pas un, pas dans le sens que Vouner commençait à entrevoir.

— Asseyons-nous, proposa Rhodan.

— Bien sûr, dit O'Day naturellement et il avança quelques chaises. On discute mieux ainsi.

Le commandant était un vieux monsieur très bien. Ça se voyait. Ça se sentait.

Mais Hendrik Vouner était aigri, haineux et méfiant.

Il était malheureux.

Rhodan regarda Vouner franchement.

— Vous savez naturellement pourquoi je suis venu, dit-il. Il serait absurde que nous nous en contions. Je vais essayer de vous acheter l'activateur cellulaire. Et je vais vous donner mille raisons vous expliquant pourquoi vous devez le vendre.

Vouner inclina la tête et Rhodan se mit à parler. Personne ne l'interrompit ; seul O'Day toussotait parfois et faisait une tête comme s'il voulait essayer de trouver quelque part cent activateurs et plus pour Rhodan. Le Stellarque parla à Vouner de ses difficultés et des hommes auxquels il ne pouvait plus garantir de douche cellulaire. Vouner apprit des choses dont il ne s'était jamais douté.

— C'est tout, conclut Rhodan. Maintenant c'est à votre tour.

— M. O'Day vous a certainement raconté ce que j'avais vécu avant de pouvoir mettre l'activateur en sûreté, murmura Vouner. J'ai fait des choses qui me répugnent, seulement pour devenir immortel.

— Je sais, dit Rhodan.

— J'ai tué. A cause de moi, quelques Arras se trouvent sur Vélandre II et attendent des secours. Sur Arralon j'ai arraché bien des hommes à leur vie quotidienne et je leur ai apporté le malheur. J'ai payé cher pour cet appareil.

— Je comprends, dit Rhodan, inexpressif.

Le visage de O'Day s'assombrit.

— Mais j'ai aussi appris, poursuivit Vouner. J'ai appris qu'il y a des choses qui nous apparaissaient sans importance parce que nous les considérons comme allant de soi. Mais elles ne sont ni insignifiantes, ni naturelles.

D'un geste rapide, Hendrik Vouner détacha l'activateur et le laissa osciller dans sa main.

— Tant que je portais cet appareil, je n'ai connu ni amitié, ni assistance. Tous m'ont pourchassé, tous ont essayé de me le prendre, même si pour cela ils devaient me tuer. Nulle part je n'étais en sécurité. Je n'avais rien en dehors de l'immortalité.

Rhodan se leva.

— L'activateur cellulaire vous appartient, dit-il. Il ne serait pas juste de vous l'acheter.

— Non, répondit Vouner en se levant également. (Il se dirigea vers Rhodan et lui tendit l'activateur.) Tenez, dit-il. Il vous appartient.

Pendant quelques secondes, les deux hommes se

regardèrent droit dans les yeux, comme s'ils cherchaient mutuellement à sonder leurs pensées. Ce n'est que très lentement et en hésitant que Rhodan porta la main à l'appareil.

— Vous... vous le donnez de votre plein gré ?

— Je vends l'activateur pour cinq cent mille solars.

O'Day s'écria impulsivement.

— Par le diable, Vouner, la chose vaut dix millions de solars ! (Il pâlit.) Excusez-moi, commandant. Cela m'a échappé.

Sans un mot, Rhodan se dirigea vers la table de O'Day et sortit quelque chose de sa poche d'uniforme. Vouner et O'Day le virent écrire. Puis il tendit le papier à Vouner.

— Je vous ai mis dix millions de solars, dit-il.

Vouner prit le chèque. Les deux hommes se serrèrent la main. En silence, Vouner se retourna et quitta la pièce à la hâte. Il savait qu'il était impoli mais il ne pouvait faire autrement. Il descendit le long couloir jusqu'à la cantine de la base. Quand il entra, il vit trois hommes jouant aux cartes. Il se dirigea vers leur table et approcha une chaise.

— Voulez-vous jouer ? lui demanda l'un des hommes en souriant.

Pour la première fois depuis longtemps, un faible sourire apparut sur le visage de Vouner.

— Je crois que cela m'amuserait énormément, dit-il.

Ils se serrèrent et lui firent une place.

— Avez-vous aussi de l'argent ? demanda un des joueurs en riant.

— Un peu, répondit Vouner qui était effroyablement las mais décidé à ne pas le montrer.

Il était important d'être assis ici et de voir ces hommes rire. Et il était important d'être assis ici et de rire également.

Sans méfiance. Sans amertume. Et sans haine.

Tout dans la vie brève de Hendrik Vouner était important et valait la peine d'être vécu.

Rhodan mit l'activateur cellulaire dans la poche de son uniforme. O'Day qui regardait par la fenêtre se tourna vers lui.

— Il vous a donné l'activateur par conviction, commandant. Je crois qu'il voulait s'en débarrasser. C'est incroyable. Il possédait l'immortalité et en aurait pratiquement fait cadeau. (O'Day hocha la tête.) Pourtant il a dû passer par bien des épreuves avant d'être en sûreté dans la base. Vraiment, c'est incroyable.

Rhodan sourit de sa manière tranquille.

— Je peux le comprendre, dit-il calmement.

— Vraiment, commandant ?

— Il est des choses plus importantes que l'immortalité. Vouner s'en est rendu compte.

— Croyez-vous, commandant ? Qu'est-ce qui peut être plus précieux pour un homme que prolonger sa vie sur une période pratiquement illimitée ? fit O'Day en se caressant pensivement la barbe.

— Il y a une chose, dit Rhodan légèrement rêveur. Une chose qui est plus importante que l'immortalité.

— Quoi donc, commandant ?

Rhodan regarda par la fenêtre et vit le drapeau de l'Empire flotter au vent.

— La liberté, commandant O'Day ; la vraie, la liberté intérieure.

FIN

DÉJA PARUS DANS LA MÊME COLLECTION

A PARAÎTRE :

*Achevé d'imprimer le 10 mai 1985
sur les presses de l'Imprimerie Bussière
à Saint-Amand (Cher)*

— N° d'impression : 1034 —
— Dépôt légal : juillet 1985 —

Imprimé en France

PUBLICATION MENSUELLE